# POTERIE PORTNEUF

## ET AUTRES VAISSELLES ANCIENNES

R. W. Finlayson

Traduit par Renée Claereboudt

LONGMAN CANADA LIMITED

Copyright © 1972 R. W. Finlayson

Longman Canada Limited
55 Barber Greene Road
Don Mills, Ontario

All rights reserved. No part of this publication
may be reproduced, stored in a retrieval system, or
transmitted, in any form, by any means — electronic,
mechanical, photocopying, recording, or other —
without the prior permission of Longman Canada Limited.

Printed in Canada

Copyright © 1972 R. W. Finlayson

Longman Canada Limited
55 Barber Greene Road
Don Mills, Ontario

Tous droits réservés. Aucune partie de cette publication
ne pourra être reproduite, introduite dans un porte-feuilles
de lecture ou transmise, sous quelque forme que ce soit
— électronique, mécanique, photocopie, enregistrement
ou autre — sans l'autorisation préalable de
Longman Canada Limited.

Imprimé au Canada

WITHDRAWN

PORTNEUF POTTERY AND OTHER EARLY WARES

POTERIE PORTNEUF ET AUTRES VAISSELLES ANCIENNES

# PORTNEUF POTTERY
### AND OTHER EARLY WARES

*For Marjorie*          *A Marjorie*

# CONTENTS

*Preface and Acknowledgments* xi
*Foreword* xix

PART I     THE SCOTTISH POTTERIES    1

PART II    THOMAS QUEBEC VIEWS    9
*Introduction*    11
*The Britannia Pottery*    13
*F. T. Thomas, Quebec City Dealer in China, Glass and Earthenware*    17
*The Cochran Transfers*    34
*The Views Used on the Thomas Quebec Pottery*    38

PART III    THE PORTNEUF PUZZLE    49
*A Problem of Definition*    51
*David Methven's Kirkcaldy Pottery*    57
*Kirkcaldy Rosette, Maple Leaf and Peony Patterns*    64
*Portneuf Bowls*    76
*The Jumbo Bowl*    81
*John Thomson's Annfield Pottery, Glasgow, and the Mystery of the Rope Border*    94

PART IV    CANADIAN SPORTS SERIES    105

PART V    NOTES ON CERTAIN CANADIAN CERAMICS    117
*Robert Heron's Fife Pottery*    119
*Spatter Ware*    121
*The State of the Canadian Pottery Industry in 1881*    124

PART VI    CONCLUSION    127

# TABLE DES MATIÈRES

*Avant-propos et remerciements* xi

*Préface* xix

Ie PARTIE  LES POTERIES D'ÉCOSSE  1

IIe PARTIE  PAYSAGES QUÉBECOIS DE THOMAS  9

*Préambule* 11

*Ateliers "Britannia Pottery"* 13

*F. T. Thomas, distributeur de faïence, porcelaine et verrerie de la ville de Québec* 17

*Les décalcomanies Cochran* 34

*Paysages québecois employés sur la poterie Thomas* 38

IIIe PARTIE  LE CASSE-TÊTE PORTNEUF  49

*Les dilemmes de la définition* 51

*La poterie David Methven de Kirkcaldy* 57

*Motifs Rosette, Feuille d'érable et Pivoine de Kirkcaldy* 64

*Bols Portneuf* 76

*Le bol Jumbo* 81

*Les poteries Annfield de John Thomson à Glasgow et le mystère de la bordure torsadée* 94

IVe PARTIE  SÉRIE DES SPORTS CANADIENS  105

Ve PARTIE  REMARQUES SUR CERTAINES CÉRAMIQUES CANADIENNES  117

*Poteries de Fife de Robert Heron* 119

*Vaisselle mouchetée* 121

*Le sort de l'industrie canadienne de la poterie en 1881* 124

VIe PARTIE  CONCLUSION  127

# ILLUSTRATIONS

   Scotch Thistle bowl   *1*
1 "St. Louis Gate. Porte St. Louis" Small plate   *9*
2 Britannia Pottery marks   *14*
3 Thomas mark   *15*
4 Thomas Showroom   *18*
5 F. T. Thomas invoices, covering Quebec View tea and toilet sets   *19*
6 "Basilique & Seminaire" Toothbrush holder   *20*
7 Basilica. Photograph taken 1968   *21*
8 "Wolfe & Montcalm Monument. Monument de Wolfe & Montcalm" Small plate   *22*
9 Picture of the Wolfe and Montcalm Monument   *23*
10 "St. John's Gate. Porte St. Jean" Large platter   *25*
11 "Abraham Hill" Cream Jug   *26*
12 "Quebec Harbor & Levis. Havre de Québec & Levis" Platter   *27*
13 "Quebec, from Point Levis. Québec, vue de Point Levis" Large tureen   *29*
14 "Dufferin Terrace & Citadel. Place Dufferin & Citadelle" Dinner plate   *30*
15 "View Looking North from the Citadel. Vue prise de la Citadelle" Platter   *31*
16 "Wolfe's Monument. Monument de Wolfe" Plate   *32*
17 "Breakneck Steps. Escalier Camplain" Small cup   *33*
18 Transfer, "Montmorency Fall. Chûte de Montmorency", summer and winter views   *35*
19 "Montmorency Fall. Chûte de Montmorency", summer and winter views Small plates   *35*
20 "Quebec, Its Monuments and Scenery" Page from *Canadian Illustrated News*   *39*
21 "Chaudière Falls. Chûtes de la Chaudière" Large wash basin   *40*
22 "Lorette Falls. Chûtes de Lorette" Small pink sugar bowl   *42*
23 Smith's Paper Mill, Lorette   *43*
24 "Natural Steps Montmorency River. Marches naturelles Rivière Montmorency" Large water jug   *45*
25 "Cape Diamond. Cap Diamant" Covered vegetable dish   *45*
26 Quebec Views toilet set in de Volpi residence   *46*
27 Huron Indians   Small cup and toothbrush holder   *47*
28 Buffet (Costello Collection)   *49*
29 Methven Kirkcaldy plate   *59*
30 Methven Kirkcaldy mark   *60*
31 Drawing of Methven "Imperial" mark   *63*
32 Three Portneuf plates   *65*
33 Dresser containing bowls and jugs   *66*
34 Rosette bowl and plate   *67*
35 Rosette variation plate   *68*
36 Rosette variation bowl   *69*
36A Part of the Finlayson Rosette Collection   *70-71*
37 Four Maple Leaf plates   *72*
38 Winnett dresser containing Portneuf pottery   *73*

39 Large Peony plate   *75*
40 Jumbo bowl   *82*
41 Engraving, Jumbo in Montreal skating rink   *83*
42 Portneuf bowls   *86*
43 Bird bowls   *87*
44 Bird bowls   *88*
45 Fireside cupboard   *89*
46 Fan and Chanticleer bowls   *90*
47 Two flag bowls   *91*
48 Chanticleer and flower bowls   *91*
49 Three Portneuf bowls   *92*
50 Hawk bowl   *92*
51 Bowl—Swan in fan   *92*
52 Flower bowl   *93*
53 Two plates and a bowl   *95*
54 Three Portneuf mugs   *95*
55 Mark of John Thomson, Glasgow   *96*
56 J. S. Mayer pottery bowl   *97*
57 Two serving plates and a bowl   *98*
58 Cover for slop container   *99*
59 Two bowls and a basin   *100*
60 Large basin and jug   *101*
61 Two Maple Leaf pattern pitchers   *102*
62 Bowl and pitcher   *102*
63 Two Bow Knot bowls   *103*
64 Moustached snowshoe man   *105*
65 A woman tobogganer   *108*
66 Large serving platter   *111*
67 One small and two medium-sized plates   *112*
68 Two plates, cup and saucer   *112*
69 Buffet exhibiting Canadian Sports items   *114*
70 Man lacing woman's snowshoes   *115*
71 Girl with goose and holly   *115*
72 Maker's mark: John Marshall & Co.   *115*
73 Robert Heron, Fife Pottery—price list   *118*
74 Spatter Ware from the Willoughby Collection   *122*

# ILLUSTRATIONS

Bol chardon écossais  1
1 "St. Louis Gate. Porte St. Louis" Petite assiette  9
2 Estampille de Britannia Pottery  14
3 Marque Thomas  15
4 Salle d'exposition Thomas  18
5 Factures de F. T. Thomas pour la vente de service à thé et garniture de lavabo à "Paysages québecois"  19
6 "Basilique & Séminaire" Porte-brosse à dents  20
7 Basilique. Photo prise en 1968  21
8 "Wolfe & Montcalm Monument. Monument de Wolfe & Montcalm" Petite assiette  22
9 Le monument Wolfe et Montcalm, à Québec  23
10 "St. John's Gate. Porte St. Jean" Grand plat  25
11 "Abraham Hill" (la Côte d'Abraham) Pot à lait  26
12 "Quebec Harbor & Levis. Havre de Québec & Levis" Plat  27
13 "Quebec, from Point Levis. Québec, vue de Point Levis" Grande soupière  29
14 "Dufferin Terrace & Citadel. Place Dufferin & Citadelle" Assiette à dîner  30
15 "View Looking North from the Citadel. Vue prise de la Citadelle" Plat  31
16 "Wolfe's Monument. Monument de Wolfe" Assiette  32
17 "Breakneck Steps. Escalier Camplain" Petite tasse  33
18 Décalcomanie des vues d'été et d'hiver des Chûtes de Montmorency  35
19 "Montmorency Fall. Chûte de Montmorency", vues d'été et d'hiver Petites assiettes  35
20 "Québec, ses Monuments et Sites" Page tirée du *Canadian Illustrated News*  39
21 "Chaudière Falls. Chûtes de la Chaudière" Grand bassin de toilette  40
22 "Lorette Falls. Chûtes de Lorette" Petit sucrier rose  42
23 La papeterie Lorette de Smith  43
24 "Natural Steps Montmorency River. Marches naturelles Rivière Montmorency" Grand broc à eau  45
25 "Cape Diamond. Cap Diamant" Légumier à couvercle  45
26 Garniture de lavabo Paysages québecois dans la résidence de Volpi  46
27 Indiens Huron   Petite tasse et porte-brosse à dents  47
28 Vaisselier (Collection Costello)  49
29 Assiette Methven de Kirkcaldy  59
30 Marque Kirkcaldy  60
31 Dessin de la marque "Imperial" de Methven  63
32 Trois assiettes Portneuf  65
33 Vaisselier contenant bols et cruchons  66
34 Bol et assiette Rosette  67
35 Assiette à variante de Rosette  68
36 Bol d'une autre variante de Rosette  69
36A Une partie de la Collection Rosette de Finlayson  70-71
37 Quatre assiettes à motifs Feuille d'érable  72

38 Vaisselier Winnett contenant de la faïence Portneuf  73
39 Grande assiette à motif Pivoine  75
40 Bol Jumbo  82
41 Gravure, Jumbo à la patinoire "Victoria" de Montréal  83
42 Bols Portneuf  86
43 Bols décorés d'oiseaux  87
44 Bols à motifs d'oiseaux  88
45 Armoire coin-de-feu  89
46 Bols à Éventail et à Chantecler  90
47 Deux bols à drapeaux  91
48 Bols Chantecler et fleurs  91
49 Trois bols Portneuf  92
50 Bol à faucon  92
51 Bol — Cygne dans éventail  92
52 Bol à fleur  93
53 Deux assiettes et un bol  95
54 Trois chopes Portneuf  95
55 Marque de John Thomson de Glasgow  96
56 Tonnelet de céramique J. S. Mayer  97
57 Deux plats et un bol  98
58 Couvercle pour récipient des eaux usées  99
59 Deux bols et un bassin  100
60 Grand bassin et broc  101
61 Deux cruchons à motif Feuille d'érable  102
62 Bol et cruchon  102
63 Deux bols à nœud à coques  103
64 Promeneur moustachu sur raquettes  105
65 Femme sur luge  108
66 Grand plat  111
67 Une petite assiette et deux autres à format moyen  112
68 Deux assiettes et tasse avec soucoupe  112
69 Vaisselier sur lequel sont exposés des articles à motif Sports canadiens  114
70 Homme laçant les raquettes de sa compagne  115
71 Gardeuse d'oie avec houx  115
72 Marque de fabrique de John Marshall & Co.  115
73 Tarif de la poterie Robert Heron à Fife  118
74 Vaisselle mouchetée appartenant à la collection Willoughby  122

# Preface and Acknowledgments

# Avant-propos et remerciements

Once bitten by the collector's bug it is almost impossible to get over the malady. The first attack I suffered was at the age of about seven, when I became fascinated with stamps. After that there were records, books, and finally, primitive and Oriental art.

Thus, it was not surprising that I should adopt my wife's hobby when vacationing at the Hermitage Club near Magog, Quebec. There the common pastime after the golf or bridge game was to tour the antique dealers. It was during one of these trips, when I acted as chauffeur, that I saw my first piece of Portneuf. I remember distinctly it was a small plate with the pink rosette pattern and cost $2.50. Over the years my wife's Canadiana ceramic collection grew, and reached a peak with the acquisition of some rare and sought-after animal bowls, including the most famous one portraying the elephant, Jumbo.

Une fois touché, le mal vous tient et vous devenez un collectionneur chronique. Mes premiers symptômes se sont manifestés quand, à sept ans, je me suis laissé fasciner par les timbres postes, et mon mal s'est développé en passant par les disques, les livres et enfin l'art primitif et oriental.

Personne ne fut donc surpris de voir que, alors que nous passions nos vacances au Club Hermitage à Magog, dans le Québec, je me mis à partager l'intérêt passionné de ma femme pour les antiquités. Notre passe-temps favori le plus courant, à ce moment là, était de courir les antiquaires après le golf ou la partie de bridge. C'est au cours d'une de ces tournées, où je servais de chauffeur, que je vis ma première pièce Portneuf. Je m'en souviens encore. C'était une soucoupe à petites rosaces, qui coûtait $2.50. La collection de grès canadiens de ma femme se complétait au fil des ans et le jour vint où elle put acquérir certains bols à motifs d'animaux, très rares et très recherchés, dont le plus fameux représentait Jumbo, l'éléphant.

During these years in the 1940's and 1950's small pieces could be obtained for a few dollars, and I remember the look of horror on my wife's face when I told her I had paid eighteen dollars for a Robin bowl. Prices have continued to increase with the ever diminishing supply until now some of the better bowls sell for over one hundred dollars.

As would anyone with an inquiring frame of mind, I began to wonder where this pottery had been made. It seemed obvious that one should first of all find out if it was produced in Canada. As only a very few of the pieces have any maker's marks, the task was not an easy one. We consulted hundreds of pickers, dealers, collectors and museum people and travelled thousands of miles tracking down leads. I'll never forget the day I discovered the first firm evidence that pointed to Scotland as the home of Portneuf.

Looking back over the years which led to publication of this book, the pride of acquisition seems to have slowly but surely taken second place and the thoughts that remain concern the acquaintances and friends made during the search. So I wish to acknowledge the help received from the many people who assisted in the formation of my collection and those who have been responsible for much of the information contained in the following chapters.

I should head the list with the name of Miss Emily Le Baron of North Hatley, Quebec, who was one of the first to recognize the importance of Canadiana; also Mrs. R. L. Gale of Waterville, Quebec, who has an

Dans les années 1940 et 1950, de petites pièces pouvaient s'acheter pour quelques dollars et je ne suis pas près d'oublier le cri d'horreur de ma femme lorsque je dus avouer avoir payé dix-huit dollars pour un bol représentant un rouge-gorge. Et, avec la raréfaction des pièces encore disponibles, les prix n'ont cessé d'augmenter, au point que certains des bols les mieux conservés se payent maintenant au moins cent dollars.

Comme le ferait tout autre esprit curieux, je me suis naturellement demandé d'où venait cette poterie et, pour remonter à son origine, il fallait d'abord savoir si elle avait été fabriquée au Canada. Dès l'abord la tâche fut ardue parce que la marque de fabrique n'apparaissait que sur quelques rares pièces. Nous nous sommes adressés à des centaines de brocanteurs, antiquaires, collectionneurs, conservateurs de musées et nous avons couvert des milliers de milles pour explorer toutes les possibilités qui s'ouvraient à nous et vérifier tous les tuyaux qui nous étaient donnés. Je me souviendrai toujours du jour où j'eus pour la première fois l'évidence d'une origine écossaise de la faïence Portneuf.

Même si elles sont à l'origine de ma décision d'écrire un livre à leur sujet, ces poteries, au fil des ans, finirent par ne plus être le point principal de ma fierté de les posséder. Ce qui m'est surtout devenu cher maintenant c'est la chance qu'elles m'ont procuré de faire de nouvelles connaissances et de nouer de nouvelles amitiés. Et je voudrais ici, exprimer ma reconnaissance aux nombreuses personnes qui m'ont aidé à constituer ma collection et à celles qui n'ont épargné aucun effort pour me fournir les renseignements dont regorgent les chapitres suivants.

Je voudrais commencer par nommer Mademoiselle Emily Le Baron de North Hatley, Québec qui fut la première à reconnaître l'importance que présente l'antiquité canadienne, maintenant appelée Canadiana; il y a aussi Madame R. L. Gale de Waterville,

interesting collection. Mrs. Hélène Gagné of Neuville was most helpful in allowing me to photograph some items from her excellent collection. Mrs. Agnes Clement of Barnston, Quebec, allowed me to examine the famous Mayer ceramic barrel which is still an enigmatic puzzle. Mr. M. R. Burger was most generous in allowing me to examine and photograph his extensive collection at Belle-Rivière, Quebec.

In Sillery, Quebec, I had the opportunity of having a long talk with Mr. Paul de Granville who showed me his extremely interesting collection of invoices covering his family's purchases of the Thomas pottery in the 1880's. I would be most remiss if I did not also mention the assistance of Miss Norma Lee, also of Sillery, who helped me during the many visits I had to Quebec City and who worked on the historical background of the Thomas Quebec Views.

Miss Lee's good friend, Miss H. Lambart of Grenville, Quebec, sent me many letters containing much valuable information. In Quebec City that great Canadian artist, Mr. Jean Paul Lemieux, and his charming wife entertained us not only there but also at Ile aux Coudres. While there we had many discussions concerning Portneuf and I had the opportunity of photographing his excellent collections.

I must also acknowledge the help given me to study the vast ceramic collection once exhibited in the Tadoussac Hotel. This collection was purchased by the Canada Steamship Line under the direction of the late William H. Coverdale, who was one of the first collectors, and perhaps the most important, of Quebec Canadiana of all sorts. In fact, if it were not for his efforts many thousand of items would have vanished.

Québec qui possède une très intéressante collection. En me permettant de photographier certains des articles fascinants qu'elle possède, Madame Hélène Gagné, de Neuville, me donna un avantage précieux ainsi d'ailleurs que Madame Agnes Clement de Barnston, Québec qui me permit d'examiner à loisir le fameux baril de céramique Mayer qui reste toujours un casse-tête énigmatique. A Belle-Rivière, Québec, Monsieur M. R. Burger mit très généreusement sa vaste collection à ma disposition afin que je puisse l'examiner et la photographier.

A Sillery, Québec, Monsieur Paul de Granville me réserva un long entretien, au cours duquel je pus voir une collection excessivement captivante de factures payées en 1880 par sa famille, pour l'achat de vaisselle Thomas. Je ne voudrais pas oublier de citer Mademoiselle Norma Lee, également de Sillery, qui au cours de mes multiples visites à Québec me fit bénéficier des connaissances profondes qu'elle acquit en recherchant l'origine historique des Paysages québecois sur les poteries Thomas.

Les renseignements précieux que je dois à Mademoiselle H. Lambart de Greenville, Québec, amie de Mlle Lee, firent l'objet d'un abondant courrier. Nous fûmes très souvent invités chez l'artiste canadien bien connu Jean Paul Lemieux et sa charmante épouse, non seulement à Québec mais aussi à l'Ile aux Coudres, où nous pouvions nous lancer dans d'innombrables discussions sur Portneuf et où j'eus la chance de photographier ses excellentes collections.

Je tiens aussi à mentionner l'assistance que je reçus, par l'autorisation d'étudier l'énorme collection de céramiques exposées à l'Hôtel Tadoussac, rachetées depuis par Canada Steamship Line, sous l'autorité du regretté William H. Coverdale, l'un des tous premiers collectionneurs de "Québecensia" de toutes sortes, et peut-être le plus important. C'est à lui, en fait, que l'on doit la conservation de milliers de pièces qui, sans ses

Now most of the important items in the Tadoussac and Murray Bay collections have been secured by the Quebec and Dominion Governments and will be displayed for public view.

This would seem to be the proper place to record the assistance given me by Mr. and Mrs. J. N. Cole who allowed me to examine and photograph their extensive collection in Westmount and Murray Bay. Mrs. Cole for many years acted as an assistant to Mr. Coverdale in assembling and itemizing the great Canada Steamship Line collections. While mentioning Murray Bay I wish to record the kindness of Mrs. F. Culver, who showed us her magnificent collection in her summer home and has given me much information on the early history of these ceramics. I was also able to obtain some interesting examples of Portneuf from her daughter-in-law, Mrs. Audrey Culver.

Permission was also received to catalogue and photograph the ceramics owned by Mrs. L. S. Bloom and Mrs. W. G. McConnell of Westmount.

As one can see from looking at this book, a large percentage of the items photographed have come from five great collections—the Sharpe, de Volpi and Costello collections in Quebec Province, and those of Winnett and Willoughby in Ontario. The three Quebec groups are owned by fascinating connoisseurs and are housed in extremely attractive surroundings. Mrs. Nettie Sharpe lives in a historical house in St. Lambert, Quebec. She was one of the first serious Canadiana collectors and has the most complete assembly of Portneuf bowls and Canadian Sports series known to me. In addition she owns splendid examples of the Quebec Views and a fascinating group of early French religious

efforts, auraient été perdues. Tandis que, maintenant, la plupart des pièces les plus importantes des collections Tadoussac et Baie Murray sont entre les mains des gouvernements du Québec et fédéral afin d'être exposées au public.

Je crois que c'est ici qu'il convient de souligner l'aide que je reçus de Monsieur et Madame J. N. Cole, qui me permirent d'examiner et de photographier à Westmount et Baie Murray, les pièces de l'assortiment très fourni de leur collection. Mme Cole fut, pendant de nombreuses années, l'assistante de M. Coverdale, pour monter et inventorier les énormes collections de Canada Steamship Line. Et puisque j'en suis à Baie Murray je voudrais mentionner l'amabilité de Madame F. Culver qui nous fit voir l'admirable collection assemblée à sa résidence d'été et qui me fit connaître des détails très utiles sur l'historique de ces céramiques. Par la suite sa bru, Madame Audrey Culver put m'obtenir quelques pièces très intéressantes de Portneuf.

Je reçus aussi l'autorisation de cataloguer et photographier les céramiques que possèdent Mesdames L. S. Bloom et W. G. McConnell de Westmount.

Comme les pages de ce livre vous le révèleront, une grande partie des pièces photographiées appartiennent à cinq collections importantes—les collections Sharpe, de Volpi et Costello dans la province du Québec et celles de Winnett et Willoughby en Ontario. Les trois groupes québécois sont la propriété de connaisseurs raffinés qui ont placé leur collection dans un décor excessivement attrayant. Madame Nettie Sharpe habite une maison historique à Saint-Lambert, Québec. Elle compte parmi les premiers collectionneurs à envisager les antiquités Canadiana avec sérieux. Elle possède l'assortiment de bols Portneuf et de la série Sports canadiens le plus complet que je connaisse, sans compter les magnifiques exemples des Paysages du Québec, et un groupe fascinant d'anciennes sculptures françaises,

xiv

interesting collection. Mrs. Hélène Gagné of Neuville was most helpful in allowing me to photograph some items from her excellent collection. Mrs. Agnes Clement of Barnston, Quebec, allowed me to examine the famous Mayer ceramic barrel which is still an enigmatic puzzle. Mr. M. R. Burger was most generous in allowing me to examine and photograph his extensive collection at Belle-Rivière, Quebec.

In Sillery, Quebec, I had the opportunity of having a long talk with Mr. Paul de Granville who showed me his extremely interesting collection of invoices covering his family's purchases of the Thomas pottery in the 1880's. I would be most remiss if I did not also mention the assistance of Miss Norma Lee, also of Sillery, who helped me during the many visits I had to Quebec City and who worked on the historical background of the Thomas Quebec Views.

Miss Lee's good friend, Miss H. Lambart of Grenville, Quebec, sent me many letters containing much valuable information. In Quebec City that great Canadian artist, Mr. Jean Paul Lemieux, and his charming wife entertained us not only there but also at Ile aux Coudres. While there we had many discussions concerning Portneuf and I had the opportunity of photographing his excellent collections.

I must also acknowledge the help given me to study the vast ceramic collection once exhibited in the Tadoussac Hotel. This collection was purchased by the Canada Steamship Line under the direction of the late William H. Coverdale, who was one of the first collectors, and perhaps the most important, of Quebec Canadiana of all sorts. In fact, if it were not for his efforts many thousand of items would have vanished.

Québec qui possède une très intéressante collection. En me permettant de photographier certains des articles fascinants qu'elle possède, Madame Hélène Gagné, de Neuville, me donna un avantage précieux ainsi d'ailleurs que Madame Agnes Clement de Barnston, Québec qui me permit d'examiner à loisir le fameux baril de céramique Mayer qui reste toujours un casse-tête énigmatique. A Belle-Rivière, Québec, Monsieur M. R. Burger mit très généreusement sa vaste collection à ma disposition afin que je puisse l'examiner et la photographier.

A Sillery, Québec, Monsieur Paul de Granville me réserva un long entretien, au cours duquel je pus voir une collection excessivement captivante de factures payées en 1880 par sa famille, pour l'achat de vaisselle Thomas. Je ne voudrais pas oublier de citer Mademoiselle Norma Lee, également de Sillery, qui au cours de mes multiples visites à Québec me fit bénéficier des connaissances profondes qu'elle acquit en recherchant l'origine historique des Paysages québécois sur les poteries Thomas.

Les renseignements précieux que je dois à Mademoiselle H. Lambart de Greenville, Québec, amie de Mlle Lee, firent l'objet d'un abondant courrier. Nous fûmes très souvent invités chez l'artiste canadien bien connu Jean Paul Lemieux et sa charmante épouse, non seulement à Québec mais aussi à l'Ile aux Coudres, où nous pouvions nous lancer dans d'innombrables discussions sur Portneuf et où j'eus la chance de photographier ses excellentes collections.

Je tiens aussi à mentionner l'assistance que je reçus, par l'autorisation d'étudier l'énorme collection de céramiques exposées à l'Hôtel Tadoussac, rachetées depuis par Canada Steamship Line, sous l'autorité du regretté William H. Coverdale, l'un des tous premiers collectionneurs de "Québecensia" de toutes sortes, et peut-être le plus important. C'est à lui, en fait, que l'on doit la conservation de milliers de pièces qui, sans ses

Now most of the important items in the Tadoussac and Murray Bay collections have been secured by the Quebec and Dominion Governments and will be displayed for public view.

This would seem to be the proper place to record the assistance given me by Mr. and Mrs. J. N. Cole who allowed me to examine and photograph their extensive collection in Westmount and Murray Bay. Mrs. Cole for many years acted as an assistant to Mr. Coverdale in assembling and itemizing the great Canada Steamship Line collections. While mentioning Murray Bay I wish to record the kindness of Mrs. F. Culver, who showed us her magnificent collection in her summer home and has given me much information on the early history of these ceramics. I was also able to obtain some interesting examples of Portneuf from her daughter-in-law, Mrs. Audrey Culver.

Permission was also received to catalogue and photograph the ceramics owned by Mrs. L. S. Bloom and Mrs. W. G. McConnell of Westmount.

As one can see from looking at this book, a large percentage of the items photographed have come from five great collections—the Sharpe, de Volpi and Costello collections in Quebec Province, and those of Winnett and Willoughby in Ontario. The three Quebec groups are owned by fascinating connoisseurs and are housed in extremely attractive surroundings. Mrs. Nettie Sharpe lives in a historical house in St. Lambert, Quebec. She was one of the first serious Canadiana collectors and has the most complete assembly of Portneuf bowls and Canadian Sports series known to me. In addition she owns splendid examples of the Quebec Views and a fascinating group of early French religious

efforts, auraient été perdues. Tandis que, maintenant, la plupart des pièces les plus importantes des collections Tadoussac et Baie Murray sont entre les mains des gouvernements du Québec et fédéral afin d'être exposées au public.

Je crois que c'est ici qu'il convient de souligner l'aide que je reçus de Monsieur et Madame J. N. Cole, qui me permirent d'examiner et de photographier à Westmount et Baie Murray, les pièces de l'assortiment très fourni de leur collection. Mme Cole fut, pendant de nombreuses années, l'assistante de M. Coverdale, pour monter et inventorier les énormes collections de Canada Steamship Line. Et puisque j'en suis à Baie Murray je voudrais mentionner l'amabilité de Madame F. Culver qui nous fit voir l'admirable collection assemblée à sa résidence d'été et qui me fit connaître des détails très utiles sur l'historique de ces céramiques. Par la suite sa bru, Madame Audrey Culver put m'obtenir quelques pièces très intéressantes de Portneuf.

Je reçus aussi l'autorisation de cataloguer et photographier les céramiques que possèdent Mesdames L. S. Bloom et W. G. McConnell de Westmount.

Comme les pages de ce livre vous le révèleront, une grande partie des pièces photographiées appartiennent à cinq collections importantes—les collections Sharpe, de Volpi et Costello dans la province du Québec et celles de Winnett et Willoughby en Ontario. Les trois groupes québecois sont la propriété de connaisseurs raffinés qui ont placé leur collection dans un décor excessivement attrayant. Madame Nettie Sharpe habite une maison historique à Saint-Lambert, Québec. Elle compte parmi les premiers collectionneurs à envisager les antiquités Canadiana avec sérieux. Elle possède l'assortiment de bols Portneuf et de la série Sports canadiens le plus complet que je connaisse, sans compter les magnifiques exemples des Paysages du Québec, et un groupe fascinant d'anciennes sculptures françaises,

carvings and furniture which was exhibited in the Sigmund Samuel Gallery of the Royal Ontario Museum in Toronto. Through the years Mrs. Sharpe has been most generous in giving me information. She is the proud possessor of one each of the two Jumbo and two Yellow Sailboat bowls known, and has many other unique specimens which have been photographed and identified throughout this book.

Mr. Charles de Volpi and his charming wife reside at "Weathervanes" in the Laurentians. Mr. de Volpi was a very early student of Canadiana and has acquired a large collection of Canadian silver, in addition to the most important group of Canadian weathervanes and, last but not least, many Canadian ceramics. As one can see from the book, Mr. de Volpi was very helpful in supplying me with data and was kind enough to allow me to photograph much of his unique collection of Thomas ware and the transfers of the Thomas Quebec Views.

Another collection of Canadiana in the Laurentians is owned by Mrs. R. R. Costello and is exhibited in her charming pink villa in St. Agathe. She built a house especially to show off her extensive collection of Canadian ceramics and furniture. Several of the important furniture items are illustrated in the Jean Palardy book *The Early Furniture of French Canada*. Photographs of her ceramics, particularly the Portneuf bowls and other important tableware, exhibited in pine cupboards prominently placed in her house, are used throughout this book.

de caractère religieux, et des meubles d'époque, qui furent exposés à Toronto dans la Galerie Sigmund Samuel du Musée Royal de l'Ontario. Au cours des ans, Mme Sharpe m'a toujours très généreusement renseigné sur le sujet qui nous tient à cœur à tous deux. Elle compte dans sa collection un exemplaire de chacun des deux Jumbo et des deux Voiliers Jaunes connus, ainsi que de nombreux autres spécimens uniques que je n'ai pas manqué de photographier et d'identifier dans ce livre.

Monsieur Charles de Volpi et la charmante Madame de Volpi habitent les "Weathervanes" (Les Girouettes) dans les Laurentides. M. de Volpi fut aussi un des premiers à se passionner de Canadiana et il s'est ainsi rendu propriétaire d'une splendide collection d'argenterie canadienne, d'un très important groupe de girouettes et enfin d'un assortiment varié de céramiques canadiennes. M. de Volpi, lui non plus, n'a pas ménagé son aide. Il m'a passé les informations qu'il possédait, et m'a permis de photographier la plupart des pièces de son unique collection de vaisselle Thomas et de décalcomanies Thomas des Paysages québecois, que vous retrouverez dans les multiples illustrations de ce livre.

Une autre collection Canadiana dans les Laurentides appartient à Madame R. R. Costello qui l'expose dans son exquise villa rose à Saint-Agathe. La maison a été spécialement construite autour de cette magnifique collection comprenant mobilier et céramiques canadiens. Certains des meubles les plus importants illustrent d'ailleurs le livre *The Early Furniture of French Canada* (Le premier mobilier au Canada francais) dû à la plume de Jean Palardy, qui employa tout au long du livre des photos de la vaisselle, et plus particulièrement, des bols Portneuf, tels qu'ils se trouvent, dans des vitrines de bois de sapin, en place d'honneur, partout dans la villa.

Turning to Ontario, one of the most fascinating collections is that inherited by Mrs. A. R. Winnett from her father, the great collector, William H. Coverdale. Her Portneuf and the Maple Leaf pattern tableware is beautifully displayed in her limestone house, which was built many years ago and is a landmark outside Kingston. Mrs. Winnett has loaned her collection at various times and was most kind in allowing me to photograph it in her house.

And finally, the last of the great collections is that owned by Mr. J. Willoughby, housed near Orangeville. Mr. Willoughby's ceramics are very extensive and cover not only Portneuf items but also various sets of tableware including some Thomas Views and Maple Leaf patterns.

In the chapter on Portneuf my thanks are expressed more fully concerning the important source information given by Mr. G. A. Young, Superintendent of City Museums and Art Gallery of Edinburgh, Scotland. He has gone over the text and supplied data on the Scottish potteries. In addition Mr. A. R. Mountford, Curator of the City Museum and Art Gallery in Stoke-on-Trent, offered many valuable suggestions. Mr. R. O. Oddy, Assistant Keeper of the Royal Scottish Museum, Edinburgh, was also most helpful in giving information. Mr. Geoffrey A. Godden, editor of the *Encyclopedia of British Pottery and Porcelain Marks*, helped to identify some of the marks and made some very useful suggestions. At this time I also want to acknowledge with thanks the permission which Mr. L. G. Ramsey, editor of *The Connoisseur*, London, England, has given to reprint the article on Canadian Sports series which first appeared in that publication. I also have had the

Pour revenir à l'Ontario, citons une des collections les plus remarquables, que Madame A. R. Winnett hérita de son père, le fantastique collectionneur que fut William H. Coverdale. Sa collection de vaisselle à motif Feuille d'érable et Portneuf est magnifiquement exposée dans sa maison de pierre à chaux, ancien point de repère dans le paysage des environs de Kingston. La collection de Mme Winnett a été donnée en prêt à plusieurs reprises et l'autorisation de la photographier dans le cadre même de la maison, me fut accordée avec beaucoup de gentillesse.

Et enfin nous arrivons à la dernière des grandes collections, celle de Monsieur J. Willoughby, près de Orangeville. M. Willoughby possède un énorme assortiment de céramiques, non seulement de Portneuf mais encore divers services de vaisselle dont des Paysages Thomas et des motifs Feuille d'érable.

Dans le chapitre consacré à Portneuf je remercie Monsieur G. A. Young, Directeur des Musées Municipaux et de la Galerie d'Art d'Edimbourg en Écosse, pour la multitude de renseignements qu'il m'a fournis. Il puisa dans ses notes pour me communiquer d'intéressantes données sur la poterie en Écosse. En outre, Monsieur A. R. Mountford, Conservateur du Musée et de la Galerie d'Art de Stoke-on-Trent me fit bénéficier de ses précieux conseils, de même que Monsieur R. O. Oddy, Conservateur-adjoint du Royal Scottish Museum à Edimbourg, qui me donna des renseignements de grande importance. Ce fut Monsieur Geoffrey A. Godden, éditeur de *Encyclopedia of British Pottery and Porcelain Marks,* qui m'aida à identifier certains des monogrammes et marques et me fit quelques suggestions particulièrement utiles. Je voudrais ici aussi remercier Monsieur L. G. Ramsey, éditeur du *The Connoisseur*, publié à Londres, Angleterre, de son autorisation de reproduire l'article sur la série

opportunity of consulting Mr. R. J. Charleston of the Victoria and Albert Museum in London, England, and obtained useful information from him and the museum library.

In Toronto, I wish to thank Mr. Gerald Stevens, who has taken the trouble to read the text and make many constructive suggestions and who was kind enough to write the Foreword. I greatly value the help given by Mr. Austin Thompson of Toronto.

The illustrations used in this book are almost all taken from the photographs of Mr. Leighton Warren, Chief of the Photography Department of the Royal Ontario Museum. Mr. Warren was a most friendly companion during the visits to the various collections. His excellent work is seen throughout this volume.

This is also the appropriate time to thank my two secretaries, Mrs. Viola Pike and Miss Katherine Mak, who have had the patience to type and retype the text of the book.

In a more personal vein I also wish to acknowledge the generosity of Mr. and Mrs. J. W. Eaton who kindly lent me the use of their chalet in the Laurentians, where in quiet and suitable surroundings a great deal of the research in this field was completed.

Any collector who starts in this field could do no better than consult the list of dealers published in the little booklet *The Canadian Antique Dealers Directory*, established by Marge Shackleton. There are literally hundreds of antique shops in southern Quebec and Ontario, and I believe my wife and I have been in most of them. The help given to us by these dealers must be recorded in

Sports canadiens dont cette revue fut la première à parler. J'eu aussi la chance de pouvoir consulter Monsieur R. J. Charleston du *Victoria and Albert Museum* de Londres en Angleterre, qui me fournit de très intéressantes informations et mit la bibliothèque du musée à ma disposition.

A Toronto, mes remerciements vont à Monsieur Gerald Stevens qui se donna la peine de relire le texte et d'y apporter de très pertinentes suggestions. Il poussa l'amabilité jusqu'à écrire la préface. Je suis également reconnaissant à Monsieur Austin Thompson de Toronto pour l'aide qu'il m'a donnée.

Les pages illustrées du livre sont presque toutes dues aux photos prises par Monsieur Leighton Warren, chef du service photographique du Musée Royal de l'Ontario. M. Warren fut d'ailleurs un très agréable compagnon, au cours des visites que nous fîmes ensemble aux diverses collections. Les illustrations dans ce volume rendent hommage à ses qualités professionnelles.

C'est ici aussi que je veux remercier mes deux secrétaires, Madame Viola Pike et Mademoiselle Katherine Mak, qui avec la plus grande patience firent et refirent le manuscrit dactylographié de ce livre.

Je voudrais encore, sur un mode plus personnel, remercier la générosité de Monsieur et Madame J. W. Eaton, qui eurent la gentillesse de m'offrir le refuge de leur chalet dans les Laurentides où, dans le calme et la quiétude je pus accomplir la plupart de mes recherches.

Tout collectionneur qui se lance dans cette voie ne peut trouver de meilleur guide que la liste des antiquaires publiée dans le petit volume *The Canadian Antique Dealers Directory*, dû à Marge Shackleton. Il existe des centaines d'antiquaires dans le sud du Québec et en Ontario et je suis certain que ma femme et moi les connaissons presque tous. L'assistance qu'ils nous ont donnée mérite d'être

this acknowledgement. (As far as Portneuf is concerned the collector's task is now a hard one, as most of the better items have been picked up. In fact, during the last run around I was not able to buy one good example to add to our collection.)

And finally the financial assistance of the Canada Council should be recorded. Without the help of this body this book could not have been published. It was the Council's wise and appropriate suggestion that the text should be produced in both French and English

R. W. Finlayson

mentionnée ici. (En ce qui concerne Portneuf, la tâche du collectionneur devient de plus en plus ardue, du fait que les meilleures pièces ont trouvé acquéreur. En fait, notre dernière tournée fut décevante puisqu'il ne fut pas possible de trouver un seul spécimen convenable pour notre collection.)

Et enfin, il convient de mentionner l'assistance financière accordée par le Conseil des Arts du Canada. Sans elle, la publication de ce livre n'aurait pas été possible. C'est aussi sur la très juste et sage suggestion du Conseil que ce texte est édité en anglais et en français.

R. W. Finlayson

# Foreword

The publication of this book fills a hitherto empty space in the libraries of the increasingly numerous collections, erudite and tyro, of nineteenth and early twentieth century ceramics. It answers the decades-old questions relative to the source and age of several categories of designs and "views"—pictorially correct, charmingly naive, or both—which had been used to decorate ceramic tablewares found originally in Eastern Canada. The transfer-printed views depicted the architecture and terrain of Quebec City and environs, and the accuracy was such that many collectors attributed these wares to a Canadian source. Border designs included garlands of maple leaves and these, too, were thought to provide clues relating to a Canadian provenance.

The second category was less urban in design and body, and the vivid decorations included geometric, floral and animal motifs achieved by use of primary colours. These

# Préface

La publication de cet ouvrage comble une lacune dans les rayons des bibliothèques, d'un nombre sans cesse croissant, de collectionneurs, d'érudits et de néophytes, qui s'intéressent aux céramiques du dix-neuvième siècle et du début du vingtième. Nous y trouvons les réponses à des questions, vainement posées depuis des dizaines d'années, quant à la source et à l'ancienneté de plusieurs catégories de motifs et "Paysages" —reproductions fidèles ou d'une naïveté charmante—qui décorent des céramiques trouvées, à l'origine, dans l'est-canadien. Les paysages transférés par décalcomanie décrivent l'architecture et les sites des environs de Québec et de la ville elle-même. Leur précision est telle que bien des collectionneurs ont attribué la fabrication de cette vaisselle aux potiers canadiens. Les bords décorés de guirlandes de feuilles d'érable semblaient confirmer, par ce genre de détail, l'origine canadienne de ces faïences.

Une deuxième catégorie était moins raffinée, tant dans le dessin que dans la texture.

wares were "known" to have been manufactured in Canada! This carefree attribution was accepted by numerous collectors, and the category was classified as "Portneuf", and credited to a mythical pottery said to have been established in the village of Portneuf, Quebec. Be that as it may, numbers of these charmingly bucolic wares were preserved and became decorative additions to several important collections. Indeed, when exhibited in and on well-chosen examples of early French-Canadian furniture, Portneuf wares complement the muted colours and glowing pine of antique buffets and corner cabinets and create a *tout ensemble* which demands esthetic appreciation.

Tablewares entitled "Canadian Sports" provided additional speculation relative to source. These ceramics were signed "J. M. & Co.", and decorated with scenes inspired by winter activities which included ice-skating, snowshoeing, lacrosse and tobogganing. Several of these views are very rare and provide important illustrations.

The author, R. W. (Bill) Finlayson, is a patron of the arts and collector of Oriental paintings and artifacts. We are indebted, therefore, to this well-known entrepreneur for the time and effort expended in compiling this attractive and useful publication.

It is seven years since Bill Finlayson and his charming wife, Marjorie, acquired several examples of Portneuf and asked me to provide a provenance and date of manufacture. My answer consisted of an attribution to the British Isles (possibly Scotland), and a challenge to research and prove age and

Les décorations hautes en couleurs représentaient des formes géométriques, des motifs floraux et animaliers obtenus par l'emploi des couleurs primaires. Cette vaisselle, plus grossière, était "réputée" avoir été fabriquée au Canada! Cette affirmation désinvolte fut acceptée comme fait acquis par de nombreux collectionneurs qui finirent par la baptiser "Portneuf", et en attribuèrent la provenance à de problématiques potiers établis dans le village de Portneuf dans le Québec. Quoi qu'il en soit, un grand nombre de ces charmantes poteries à motifs bucoliques fut sélectionné par des collectionneurs pour leur effet décoratif. Et elles firent en effet la joie des yeux lorsque, placées sur d'antiques bahuts de la vieille Nouvelle France, elles en égayaient les bois sombres et patinés, pour former un ensemble des plus esthétiques.

Les vaisselles intitulées "Sports Canadiens" ouvrent d'autres horizons encore, quant à leur source. Ces céramiques portaient le sceau "J. M. & Co." et leurs motifs étaient inspirés par des sports pratiqués dans un cadre hivernal, tels que patinage, promenades sur raquettes, joutes de la crosse et luge. Certaines de ces scènes sont devenues très rares et documentent fort bien l'époque.

L'auteur de cet ouvrage, R. W. (Bill) Finlayson, est un mécène des arts, doublé d'un collectionneur de peintures et d'objets d'art oriental. Notre gratitude est donc acquise à ce réputé promoteur des arts pour s'être dépensé sans compter, afin d'assembler les éléments attrayants et fouillés que comporte cette édition de grand intérêt.

Il y a quelque sept ans, Bill Finlayson et sa charmante épouse Marjorie purent se procurer plusieurs pièces de Portneuf et me prièrent d'en établir la date de fabrication et l'origine. Pour toute réponse j'en attribuai l'origine aux Iles britanniques (l'Écosse vraisemblablement) pour finir par les mettre au défi de faire des recherches et établir, sans

source of the several categories of ceramics which make up the text and illustrations of this book. The gauntlet was thrown down and the challenge accepted.

Bill and Marjorie visited the British Isles and interviewed English curators, authors and private collectors. Later, they travelled to Scotland, continued the interviews *and* studied shards excavated on the sites of Scottish potteries. These investigations resulted in data which encouraged additional research—much of which was undertaken in Canada.

The excellent illustrations, which provide much charm to this publication, are the result of thousands of miles of travel and hundreds of hours spent in photographing private and public collections in the Canadian Provinces of Quebec and Ontario.

I, an ardent collector of Canadiana, read the manuscript with great interest and appreciation.

Gerald Stevens
*Toronto 1972*

aucun doute, l'âge et la source de plusieurs catégories de ces céramiques. Le défi fut relevé et les recherches et la documentation qui s'en suivirent ont donné naissance à ce livre.

Bill et Marjorie ne perdirent pas une minute. Ils visitèrent les Iles britanniques et prirent contact avec des conservateurs de musées, des auteurs et collectionneurs privés, qu'ils questionnèrent sans vergogne. Par la suite ils se rendirent en Écosse et là non plus, personne n'échappa à leur curiosité. Entre questions et réponses, ils trouvèrent le temps d'étudier des tessons et autres débris mis à jour par des fouilles sur l'emplacement d'anciens ateliers de potiers écossais. Ces vestiges leur fournirent un nombre d'informations suffisamment encourageant pour étendre leurs recherches, dont une grande partie eut lieu au Canada.

Les excellentes illustrations qui donnent tant de charme à cet ouvrage, marquent les jalons d'un itinéraire de milliers de milles de long et égrènent les centaines d'heures consacrées à photographier des collections publiques et privées dans le Québec et l'Ontario.

Comme je suis, moi aussi, un collectionneur effréné, grand amateur de ''Canadiana'', j'ai lu ce mansucrit avec le plus vif intérêt et ai pu l'apprécier à sa juste valeur.

Gerald Stevens
*Toronto, 1972*

PART I

# THE SCOTTISH POTTERIES

Ière PARTIE

# LES POTERIES D'ÉCOSSE

Geoffrey A. Godden's *Encyclopedia of British Pottery and Porcelain Marks*, published in 1964, contains a bibliography of eighty-four important books written on the subject of British potteries; and only one major work, *Scottish Pottery* by J. Arnold Fleming, dated 1923, covers this section of the industry, smaller than the English but important. The only other general book which gives in some detail the history of the Scottish potteries is *The Ceramic Art of Great Britain* by Llewellynn Jewitt, published in 1883. There are hundreds of English pottery specialists, but few in the trade have any knowledge of the ceramic products of Scotland. The reason is that the English potteries, particularly those of Staffordshire, became operative at an earlier period, were far larger and more efficient

Par son *Encyclopedia of British Pottery and Porcelain Marks*, éditée en 1964, Geoffrey A. Godden, rassemble la bibliographie de quatre-vingt-quatre livres de grande portée, consacrés aux poteries britanniques. J. Arnold Fleming est l'auteur à qui nous devons *Scottish Pottery*, publié en 1923, le seul ouvrage couvrant entièrement cette partie de l'industrie qui, bien que plus modeste que celle de l'Angleterre, n'en reste pas moins excessivement importante. L'autre livre grâce auquel on connaît plus de détails au sujet de la poterie d'Écosse est *The Ceramic Art of Great Britain*, ouvrage publié en 1883, dont l'auteur Llewellynn Jewitt s'étend sur des sujets d'ordre plus général. Il existe des centaines de spécialistes de la poterie anglaise, mais peu possèdent des connaissances approfondies sur les céramiques produites par l'Écosse. La raison peut en être imputée au fait que les poteries anglaises, surtout celles du Staffordshire, furent très en demande dès leurs débuts, grâce à une efficience, servant, déjà à cette époque, un marché étendu

and in the main produced a finer grade of products than the Scottish potteries.

Still at one time there existed eighty-odd potteries, largely clustered around the ports of the Glasgow area and in the Firth of Forth ports near Edinburgh. The height of prosperity in the Scottish potteries was in the period from about 1860 to 1914 when several had a large output built mainly on exports to North America and Australia. By the depression years of 1930-1932 almost all these potteries ceased operation and now there are only half a dozen small firms scattered through the country.

Even in Scotland itself, except for Fleming's fascinating book few investigations of these companies and their sites have been made. Now cities have been built over most of the sites and very little scientific excavation work has or can be done. In fact, it can be said that more research has been undertaken on Canadian pottery sites, despite the fact that the Canadian works were much smaller and fewer in number.

The most comprehensive collection of ceramics produced in Scotland is in the Huntly House Museum, Edinburgh, presided over by Mr. George A. Young. In this museum, as in other collections of ceramics exhibited in Scotland, the more decorative items produced by the better potteries are displayed. There are some fine delftware plates, small figures, punch bowls, tea caddies, mugs and ceramic animals exhibited in Scottish museums. However, by far the largest percentage of items produced were of a cruder domestic type and these were made for the markets in overseas colonies.

en vaisselle et articles d'une qualité supérieure à celle des potiers d'Écosse.

Malgré cela, il fut un temps où l'on comptait quelque quatre-vingts ateliers de potiers, groupés surtout autour des portes de Glasgow et sur les rives du golfe Forth, près d'Edimbourg. Les temps les plus prospères des potiers d'Écosse s'échelonnent entre 1860 et 1914, époque à laquelle une grande partie de la production était acheminée vers l'Amérique du Nord et l'Australie. La majeure partie des potiers d'Écosse fermèrent leurs portes pendant les années de crise de 1930 à 1932, pour ne laisser, de nos jours, que quelques modestes industries, disséminées dans le pays.

Sauf pour le livre fascinant de Fleming, peu de recherches furent entreprises au sujet de ces compagnies ou de leur site, pas même par les Écossais. Leurs emplacements sont maintenant aux mains de bâtisseurs de villes entières, dont l'intérêt en fouilles historiques ne peut être que fortement mitigé, s'il existe. En fait, au Canada, les sites où étaient établis des potiers ont fait l'objet de bien plus de recherches et de fouilles, malgré la modeste importance des quelques rares poteries qui y ont été trouvées.

La collection la plus complète de céramiques en provenance d'Écosse est exposée au musée Huntly House à Edimbourg, sous les auspices de M. George A. Young. Comme c'est le cas pour la plupart des collections de céramiques exposées en Écosse, le musée ne présente que les pièces les plus décoratives produites par les potiers les plus renommés. Les musées d'Écosse offrent ainsi à notre curiosité de délicates assiettes, des statuettes, des coupes à punch, des plateaux à thé, des gobelets ou des animaux faits en fine faïence de Delft. Cependant la majeure partie des faïences sorties des poteries étaient certainement d'un type bien moins raffiné, puisqu'on les destinait à l'usage domestique plus en demande pour les marchés d'Outre-mer.

It is this type of ware which was sent in great quantities to Canada. As is usual, trade followed the immigrants.

A study could and should be made of the exports, not only from the Scottish but also from the Staffordshire potteries, of ironstone and similar heavier earthenware which formed the bulk of the exports to Canada from such potteries as the Britannia in Glasgow and the famous Mason Pottery in Staffordshire. However, this is a subject beyond the scope of this text. Similarly an important book could be written on the Canadian historical china which was exported from Scotland and Staffordshire in England to not only Canada but also the United States. This subject is covered in some degree in Gerald Stevens' book *The Canadian Collector* and the various volumes produced by Sam Laidacker, *Anglo-American China*. In this text I have only covered the exports from the Glasgow Britannia Pottery of the Thomas Quebec Views. This was the most famous set of Canadian historical views produced by a Scottish pottery.

As one can see from the chapter headings, I have confined myself to examination of certain ceramic products sent to Canada from five important Scottish potteries. To give the reader a short summary of the main subjects covered in the text, a table is set out below.

C'est précisémment ce genre de vaisselle qui fut exportée en grandes quantités vers le Canada, parce que, comme c'est généralement le cas, les industries suivent les émigrants.

Et pour ouvrir une parenthèse, une étude pourrait, que dis-je, devrait être faite sur ces exportations de vaisselle, non seulement de faïences, céramiques de terre à feu et autres grès épais, en provenance d'Écosse, mais encore les fabrications du Staffordshire, qui furent la source la plus importante des poteries au Canada, comme en font foi celles de Britannia à Glasgow et la fameuse vaisselle Mason du Staffordshire. Et dans ce même ordre d'idées il y a matière à un livre important sur l'historique des porcelaines et faïences que l'Écosse et le comté de Stafford, en Angleterre, exportèrent, non seulement au Canada mais aux États-Unis. Gerald Stevens effleure ce sujet dans son livre *The Canadian Collector* et il en est fait mention dans les divers volumes de *Anglo-American China* écrits par Sam Laidacker. En ce qui me concerne, je n'ai tenu compte que de la série Paysages du Québec faite à Glasgow par la poterie Britannia pour l'importateur Thomas. Cette série constitue le témoignage historique canadien le plus important sur les paysages produits par une poterie écossaise.

Comme l'indiquent les chapitres successifs, je me suis contenté de n'explorer que certaines des faïences parvenues au Canada en provenance de cinq poteries importantes d'Écosse. Afin de donner au lecteur une idée des sujets développés dans ce livre un sommaire est brièvement donné ci-après.

| Name of Pottery<br>Nom de la poterie | Godden's *Encyclopedia* Mark Reference<br>Index de référence dans *Encyclopedia* de Godden | Items covered in text<br>Articles décrits dans le texte | Period of Production<br>Période de fabrication |
|---|---|---|---|
| Cochran and Fleming's Verreville Pottery and Britannia Pottery, Glasgow, Scotland<br>Cochran et Fleming des poteries Verreville et Britannia à Glasgow, Écosse | Pages 105, 157–158 | Thomas Quebec Views and Tableware<br>Paysages québecois Thomas et vaisselle | 1820–1935 |
| Thomson's Annfield Pottery, Glasgow, Scotland<br>Poterie Annfield de Thomson à Glasgow, Écosse | Page 616 | Tableware<br>Vaisselle | 1816–1884 |
| Marshall's Bo'ness Pottery, Bo'ness, Scotland<br>Poterie Marshall de Bo'ness, à Bo'ness, Écosse | Page 414 | Canadian Sports Tableware<br>Vaisselle à motifs Sports canadiens | 1854–1899 |
| Methven's Kirkcaldy Pottery, Kirkcaldy, Scotland<br>Poterie Methven de Kirkcaldy, à Kirkcaldy, Écosse | Page 433 | Kirkcaldy Portneuf Tableware<br>Vaisselle Portneuf de Kirkcaldy | c.1840–c.1930 |
| Heron's Fife Pottery, Gallatown, Kirkcaldy, Scotland<br>Poterie Heron de Fife, à Gallatown, Kirkcaldy, Écosse | Page 322 | Tableware<br>Vaisselle | 1820–1929 |

In the following chapters we are concerned with the period, from about 1850 to 1914, when these potteries shipped most of their goods to Canada. A majority of the Scottish potteries did not use maker's marks, particularly on cheaper domestic products. If the manufacturer wished to identify his work he would be more likely to place his marks on more expensive decorative china.

The phrase "Trade Mark" appeared on marks after the Trade Mark Act of 1862. Usually one can put a date after 1875 if this phrase is used. The United States McKinley Tariff Act forced the manufacturers to use a mark and the country of origin on ceramic items shipped to that country after 1891. As most of the Scottish ceramics were shipped

Les chapitres qui suivent sont consacrés à la période entre 1850 et 1914, pendant laquelle ces fabricants de poteries exportèrent la plupart de leurs produits vers le Canada. Cette vaisselle ne portait, en général, aucune marque de fabrique distinctive, surtout lorsqu'il s'agissait des faïences d'usage courant. En effet, le potier, s'il désirait faire connaître ses produits, choisissait une vaisselle plus raffinée, de meilleure qualité, pour y apposer son monogramme.

La mention "Trade Mark" ne fit son apparition qu'après que la loi sur les marques déposées fut votée en 1862. On peut, en principe, donner une date de fabrication postérieure à 1875, partout où cette mention est employée. Aux États-Unis, toute céramique importée après 1891 devra porter un sceau indiquant la marque et le pays d'origine, en vertu de la loi McKinley sur les tarifs douaniers. Or, la majeure partie des poteries

to Canada before 1891 it is natural that there should be few marks on Portneuf pottery or other such items found in Canada. This of course makes identification much more difficult and in many cases impossible.

It was only the discovery of a few marks that led to the identification of some of the manufacturers. Thus I was able to establish that none of these so-called Portneuf items were made in Canada. Indeed almost all of them came from Scotland, with some examples from Staffordshire and other parts of England and a few pieces from the Continent.

d'Écosse fut envoyée au Canada avant 1891; il est donc normal que la plupart de la vaisselle Portneuf ou toute autre faïence de la même période ne soit que très rarement marquée. C'est évidemment une des raisons principales qui en rend l'identification aussi difficile, voire impossible.

Ce ne fut que par la découverte de quelques marques qu'il a été possible de les apparenter à certains fabricants. C'est aussi ce qui m'a permis d'établir qu'aucune de ces faïences, erronément baptisées Portneuf, n'est originaire du Canada. Il ne fait pas l'ombre d'un doute que toutes ces pièces nous viennent d'Écosse, à l'exception de quelques-unes qui furent fabriquées dans le Staffordshire ou dans d'autres régions de l'Angleterre, et même dans d'autres pays d'Europe.

PART II

# THOMAS QUEBEC VIEWS

IIe PARTIE

# PAYSAGES QUÉBECOIS DE THOMAS

1   "St. Louis Gate. Porte St. Louis"
Small plate (Finlayson Collection)

*One of the four most important and early gates to the city. Troops from Montcalm's army passed through this gate after the defeat on the Plains of Abraham. The original gate was pulled down in the 1790's and was rebuilt with slight modifications of the original form. The rebuilt gate remains in roughly the same condition at present.*

1   "St. Louis Gate. Porte St. Louis"
Petite assiette (Collection Finlayson)

*Une des quatre plus anciennes portes importantes de la ville fut celle qu'empruntèrent les troupes de Montcalm après la défaite à la bataille des plaines d'Abraham. La porte originale fut démolie dans les années 1790 et reconstruite avec de légères modifications. C'est la porte que nous voyons encore de nos jours.*

# Introduction

In the latter part of the nineteenth century amongst the prized pottery commonly used in the settlements on the banks of the St. Lawrence was the "Quebec Views". This picturesque ware is true Canadiana in that it was made specifically for the Canadian market. It sold at a much higher price than the so-called Portneuf ware and was offered to the more prosperous families. It was sold mainly in the towns and cities of Quebec and this is where the major collections are now found. As can be seen from the photographs, the articles were manufactured for table and toilet use. Probably the most comprehensive collection is that of Mr. Charles de Volpi, although Mrs. H. E. Sharpe, Mr. J. Willoughby and Mr. A. S. Thompson have many rare pieces.

The border patterns used in decorating the pottery consist of interwoven maple leaves, beavers, roses, thistles and shamrocks. Obviously the manufacturer wanted

# Préambule

"Paysages québecois" fut certes la décoration la plus en vogue, à la fin du XIX$^e$ siècle, auprès des populations riveraines du Saint-Laurent. Cette vaisselle se classe parmi les véritables "Canadiana" puisqu'elle fut fabriquée exclusivement à l'usage du marché canadien. Elle se vendait beaucoup plus cher que les faïences dites Portneuf et était surtout destinée aux familles plus aisées. C'est une vaisselle dont l'usage était surtout répandu dans les villes et les agglomérations urbaines du Québec, d'où nous viennent d'ailleurs les collections les plus importantes. Comme l'indiquent les photos il s'agissait plutôt de vaisselle de table, de brocs et bassins de toilette. Malgré les nombreuses pièces de choix, d'une grande rareté, que comportent les collections de Mme H. E. Sharpe, de MM. J. Willoughby et A. S. Thompson, la collection la plus complète est probablement celle de M. Charles de Volpi.

Les motifs employés à la décoration des bords de ces poteries consistaient de guirlandes de feuilles d'érable, de castors, roses,

to appeal to the instincts of the Canadian users, particularly those of English, Scottish, or Irish descent.

This ware was produced in the normal white colour but through constant use many articles have turned slightly beige or even a light brown. Decorations were applied by transfer, usually in colours ranging from brown through to black. Occasionally rare and thus more expensive items were made in pink, red and purple tones.

The views were made in the Britannia Pottery in Glasgow for the F. T. Thomas Company of Quebec City. The Thomas firm acted as importer and distributor of these views. It is reasonable to assume from all the evidence that this pottery was distributed in the period from 1885 to 1920. In the following chapters information on the Britannia Pottery, the Thomas firm, and the particular views and transfers used, is given in more detail.

trèfles et chardons entrelacés. Il est certain que le fabricant voulait flatter les sentiments des usagers canadiens, plus particulièrement ceux d'origine anglaise, écossaise ou irlandaise.

A leur sortie d'usine, ces faïences étaient normalement blanches, mais à l'usage plusieurs de ces pièces se sont patinées en beige et même en brun clair. Les motifs étaient appliqués par décalcomanie, dans tous les tons de brun, poussant même jusqu'au noir. Cependant, en de rares occasions, certains de ces articles étaient décorés en rose, rouge ou violet et leur prix était, de ce fait même, plus élevé.

Les paysages, produits par les ateliers Britannia Pottery à Glasgow, furent fabriqués sur commande pour la compagnie F. T. Thomas de Québec, qui les importait et en assurait en même temps la distribution au consommateur. On peut donc affirmer, sans risque de se tromper, que cette faïence a été vendue pendant tout la période de 1885 à 1920. Les chapitres suivants, plus détaillés dans leur documentation, se rapportent aux potiers Britannia Pottery, à la maison Thomas ainsi qu'aux paysages et décalcomanies particulièrement en usage à cette époque.

# The Britannia Pottery

# Ateliers "Britannia Pottery"

Much of the background and history of the Scottish potteries has vanished but we have a well documented history of the Glasgow Britannia Pottery in J. Arnold Fleming's *Scottish Pottery*.

A predecessor of the Britannia Pottery was the Verreville Pottery and, as the name suggests, it started as a glass works. Pottery was produced there after 1789. This firm came under the control of Robert Cochran in 1847 and remained in the hands of the Cochran family until 1918, when it was closed down.

Robert Cochran started the Britannia Pottery near Verreville in St. Rollox, a district of Glasgow, and various members of the Cochran family continued the business until 1900 when Alexander Cochran died. The pottery then came into the possession of James Fleming and afterwards of his son, J. Arnold Fleming. When the latter retired in 1920 the firm, which in 1896 had taken the name Cochran and Fleming, was sold to the

L'historique et les antécédents des faïences d'Écosse ont en majeure partie sombré dans l'oubli. Cependant, nous retrouvons dans l'ouvrage *Scottish Pottery* de J. Arnold Fleming un relevé fort bien documenté de l'histoire des établissements "Britannia Pottery" de Glasgow.

Un prédécesseur de Britannia Pottery, fit, comme son nom de Verreville Pottery le suggère, ses débuts dans la verrerie. Cependant, des faïences sortirent de ces ateliers après 1789. Cette firme fut reprise en 1847 par Robert Cochran et resta la propriété de la famille Cochran jusqu'en 1918, année ou l'usine ferma ses portes.

Robert Cochran lança Britannia Pottery à Saint-Rollox, près de Verreville, un des quartiers de Glasgow. Au cours des ans, cette firme passa entre les mains de divers membres de la famille Cochran jusqu'au décès d'Alexander Cochran en 1900. A ce moment-là James Fleming en prit possession, et après lui, son fils J. Arnold Fleming. A sa retraite en 1920, J. Arnold Fleming vendit la compagnie, qui avait été rebaptisée Cochran et

2   Britannia Pottery marks
*(1) Cochran mark, used probably between 1857 and 1896 — most likely after 1875. (2) The small impressed oval reads "Fleming 97 Glasgow". (3) Mark used probably between 1920 and 1935.*

2   Estampille de Britannia Pottery
*(1) Estampille Cochran probablement utilisée entre 1857 et 1896 — vraisemblablement après 1875. (2) Le petit oval estampé porte "Fleming 97 Glasgow". (3) Estampe probablement utilisée entre 1920 et 1935.*

Britannia Pottery Company Limited, who operated it on a much smaller scale until it closed in 1935.

There are many associations between the Britannia Pottery and Canada. J. Arnold Fleming says that a sales representative was sent to Montreal in 1856 to develop business for Verreville and for the contemplated Britannia Pottery. The salesman was followed in 1858 by the author's father, who became Sir James Fleming. The latter "discovered Toronto was growing rapidly into an important town as the centre of distribution in the Province of Ontario, then largely virgin soil, and also because emigration was tending towards the 'Golden West'. In consequence he moved his warehouse there." During the American Civil War, which broke out in 1861, conditions were very unsettled and Fleming and Cochran decided to buy United States dollars, which were at a great discount. Later when the dollar returned to par they used the profit to greatly enlarge the capacity of the Britannia Pottery.

Fleming en 1896, à Britannia Pottery Company Limited, qui la géra sur un pied plus modeste, jusqu'à sa fermeture en 1935.

Britannia Pottery se créa de nombreuses relations au Canada. J. Arnold Fleming relate qu'un représentant de l'usine fut envoyé à Montréal en 1856 en vue de trouver des débouchés pour Verreville et pour Britannia Pottery dont on envisageait déjà la création. Ce fut ensuite au tour du père de l'auteur, qui devint plus tard Sir James Fleming, d'aller voir ce qui se passait au Canada. Il se "rendit vite compte que Toronto était en bonne voie de devenir une ville importante où se centralisait la distribution des marchandises, d'une part pour tout l'Ontario, région encore peu prospectée, et d'autre part, pour les émigrants qui se laissaient tenter par 'l'ouest doré'. Il transféra donc ses dépôts dans cette ville." Pendant la guerre de Sécession qui divisa les États-Unis en 1861, les conditions étaient devenues très précaires et Fleming et Cochran décidèrent d'acheter des dollars américains dont le cours était tombé très bas. Ils réussirent ainsi à réaliser un gain confortable lorsque la valeur du dollar fut à nouveau cotée au pair, ce qui leur permit d'accroître l'importance de Britannia Pottery.

3   Thomas mark
*The mark of the Thomas Company, commonly found on the back of the Quebec Views.*

3   Marque Thomas
*Estampille de la Thomas Company, qu'on peut généralement trouver sur le fond des Paysages québecois.*

Many pieces were shipped from the Britannia Pottery to Canada, including the Thomas Quebec Views. In photograph 2 there are reproduced three of the marks of the Britannia Pottery. Mark No. 1 was found on a saucer, the Quebec View of Montmorency Falls, which must therefore have been made between the founding of the firm in 1857 and its change of name to Cochran and Fleming in 1896. Mark No. 2 refers to the period 1911-1920, when J. Arnold Fleming was in charge of the pottery. Mark No. 3, found on a sugar jug bearing the Quebec View of the Basilica, refers to the subsequent period when the firm was known as the Britannia Pottery Company Limited. This shows that Quebec Views were being sent into Canada as late as the 1920's or perhaps even the 1930's, after the Thomas Company had ceased to exist.

Photograph 3 shows the F. T. Thomas Quebec mark which appears on many of the Quebec View items. It is frequently seen accompanied by one of the marks shown in

De nombreuses pièces, parmi lesquelles les paysages du Québec de Thomas furent exportées au Canada par Britannia Pottery. La deuxième photo représente trois des monogrammes employés par Britannia Pottery. La première de ces estampilles fut trouvée sur une soucoupe, illustrée d'une des chutes Montmorency à Québec, ce qui laisse à supposer que la fabrication en a été faite entre le moment de la fondation de la Compagnie en 1857 et le changement de la raison sociale en 1896. La deuxième marque se rapporte à la période 1911-1920, pendant l'administration de la poterie par J. Arnold Fleming. Le troisième monogramme, retrouvé sur un sucrier illustré d'une vue de la Basilique de Québec, se situe dans la période où la firme avait pris le nom de Britannia Pottery Company Limited. Ceci prouve que les paysages du Québec ont été exportés vers le Canada, jusque dans les années 1920 au moins, ou même jusque dans les années 1930, alors que l'importateur Thomas avait déjà cessé ses activités.

Le monogramme de F. T. Thomas de Québec, estampillé sur de nombreux articles avec des paysages du Québec est apparent dans la troisième photo et on le retrouve souvent

photograph 2. This is clearly illustrated in the photograph of the Montmorency Falls transfer, number 18, when the Britannia Pottery was operated by Cochran. It is interesting to examine the Cochran mark on this transfer. Note that it includes the words "Trade Mark", which indicates a date after the Trade Mark Act of 1862. The words were normally used in a maker's mark after the year 1875.

en même temps que l'une des marques montrées dans la deuxième photo. On peut particulièrement bien s'en rendre compte dans cette photo 18, par l'estampille sur la décalcomanie des Chutes Montmorency, indiquant l'époque où Britannia Pottery était gérée par Cochran. Il est d'ailleurs intéressant de détailler la marque Cochran de cette décalcomanie. Vous remarquerez que cette marque comporte les mots "Trade Mark" (marque déposée). Cela situe la date de fabrication à une époque postérieure à la loi sur les marques déposées, votée en 1862. Après 1875, ces mots "Trade Mark" font d'ailleurs partie intégrante de la plupart des monogrammes de fabricants.

# F. T. Thomas, Quebec City Dealer in China, Glass and Earthenware

# F. T. Thomas, distributeur de faïence, porcelaine et verrerie de la ville de Québec

While I was researching the history of the Quebec City merchant who acted as importer and distributor of the famous Thomas Quebec Views, a controversy broke out in the *Canadian Antiques Collector*. The well-known collector, Mr. A. S. Thompson, in the summer 1966 issue of the magazine presented the first comprehensive study on this subject. It was his contention that while these items were first imported from the Britannia works of the Cochran factory in Glasgow, later views were made at the W. and David Bell Pottery at Petite Rivière, on the outskirts of Quebec City. The theory of the Canadian manufacture was disputed in a letter written by Mr. W. Newlands Cobourne, replied to in a letter by Mr. Thompson in the same October 1966 issue of the *Collector*. Mr. Cobourne stated that the

Pendant que je recueillais les éléments pouvant me servir de trame à l'histoire des négociants québécois qui auraient contribué à l'importation et la distribution des fameux ''Paysages québecois'' de Thomas, un article du *Canadian Antiques Collector* souleva de nombreuses polémiques. En 1966 cette revue eut la primeur, dans son numéro d'été, d'une analyse complète du sujet, due à la plume du collectionneur réputé A. S. Thompson, qui soutenait que, si à l'origine les poteries Britannia trouvaient effectivement leur source dans les usines Cochran de Glasgow, il n'en fut plus de même par la suite, la fabrication de ces faïences à ''scènes et paysages'' ayant été reprise par W. et David Bell, potiers à Petite Rivière dans la banlieue de Québec. Cette théorie ne tarda pas à être contestée par Monsieur W. Newlands Cobourne dans une lettre qu'il écrivit à la suite de cet article, lettre à laquelle M. Thompson répondit sans délai. Les deux lettres furent d'ailleurs publiées ensemble par *Collector* dans son numéro d'octobre 1966. De l'avis

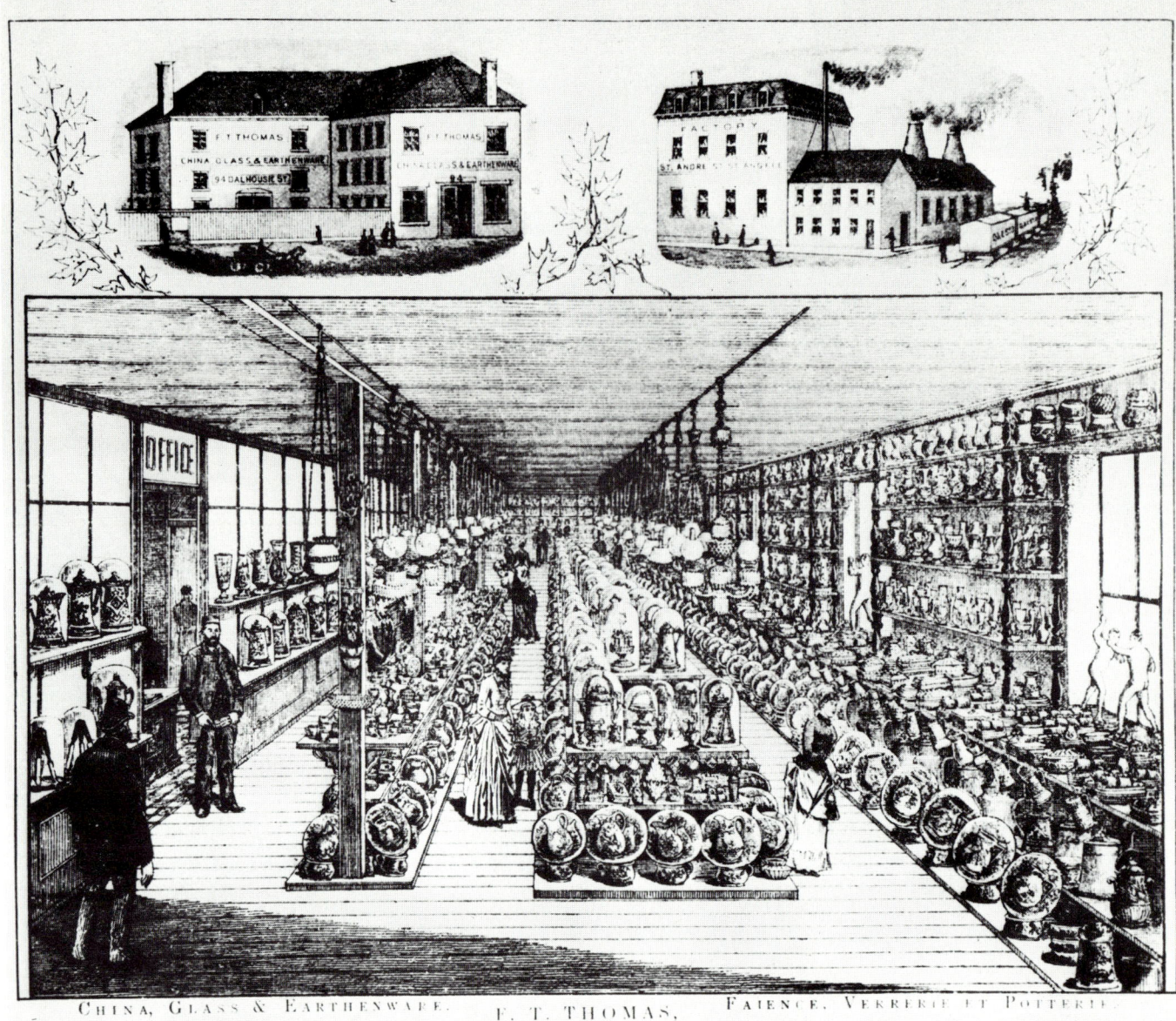

4   Thomas showroom

*Reproduction of Thomas office, warehouse and so-called factory. Made about 1884. (Supplied by Miss H. Lambart)*

4   Salle d'exposition Thomas

*Reproduction datant des environs de 1884 représentant les bureaux, les dépôts et les prétendus ateliers de la maison Thomas (fournie par Mlle. H. Lambart)*

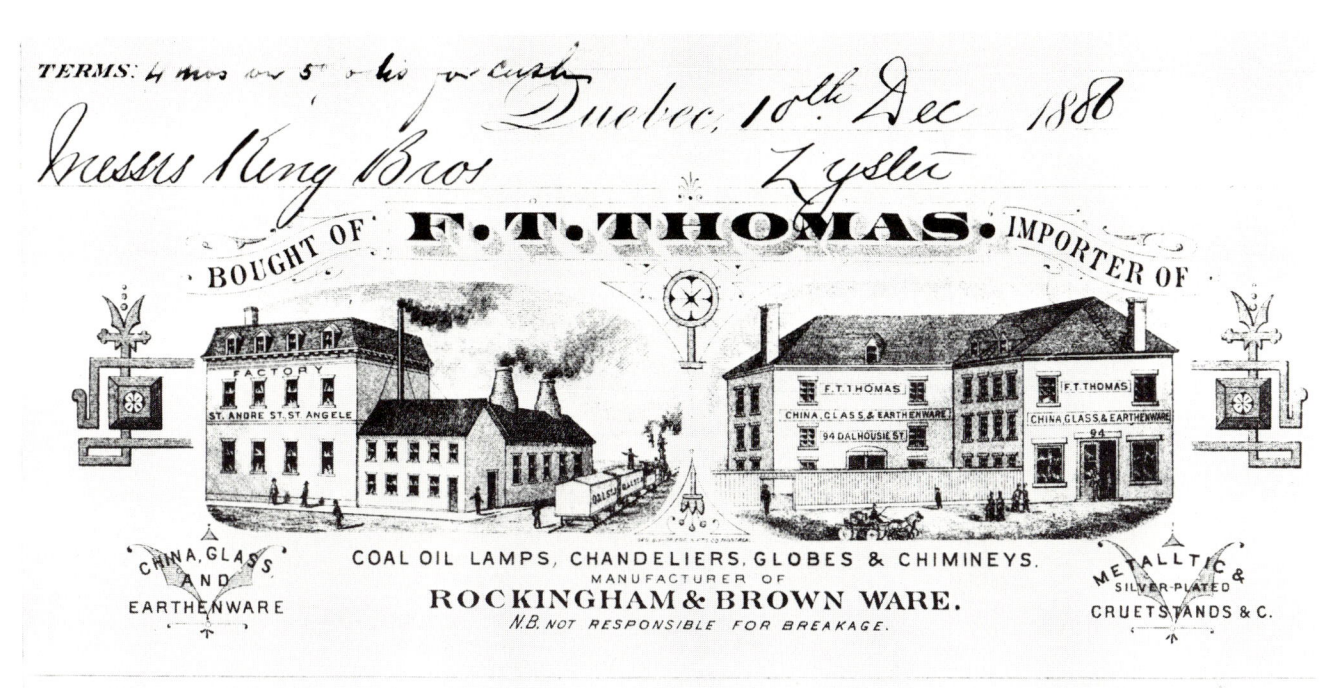

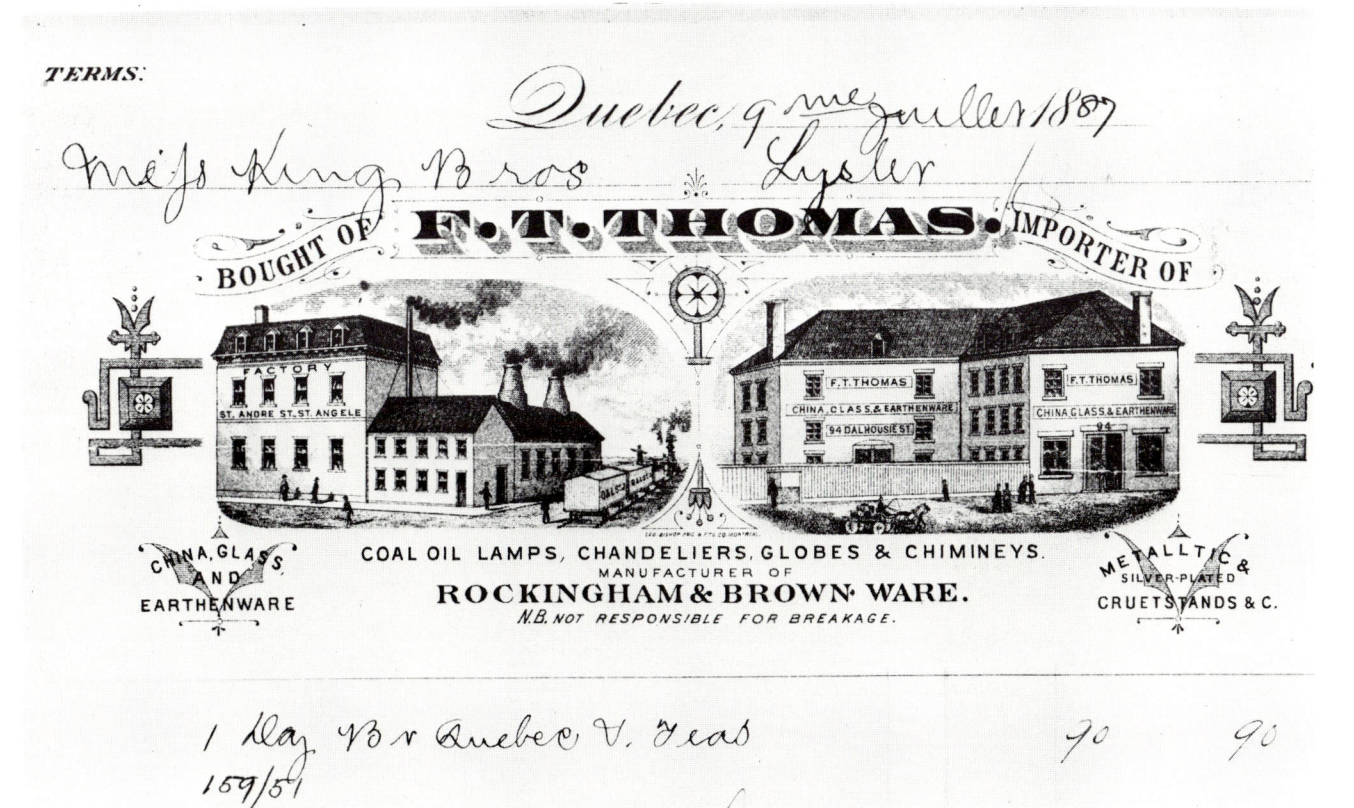

5   F. T. Thomas invoices, covering Quebec View tea and toilet sets. (de Granville Collection)

5   Factures de F. T. Thomas pour la vente de service à thé et garniture de lavabo à "Paysages québecois". (Collection de Granville)

6   "Basilique & Séminaire"
Toothbrush holder (Sharpe Collection)

6   "Basilique & Séminaire"
Porte-brosses à dents (Collection Sharpe)

7   Basilica. Photograph taken 1968.
*Note there is little change in the Basilica except for the additional statue in the foreground.*

7   Basilique. Photo prise en 1968.
*Si ce n'était pour la statue en avant-plan, peu de changements sont à relever.*

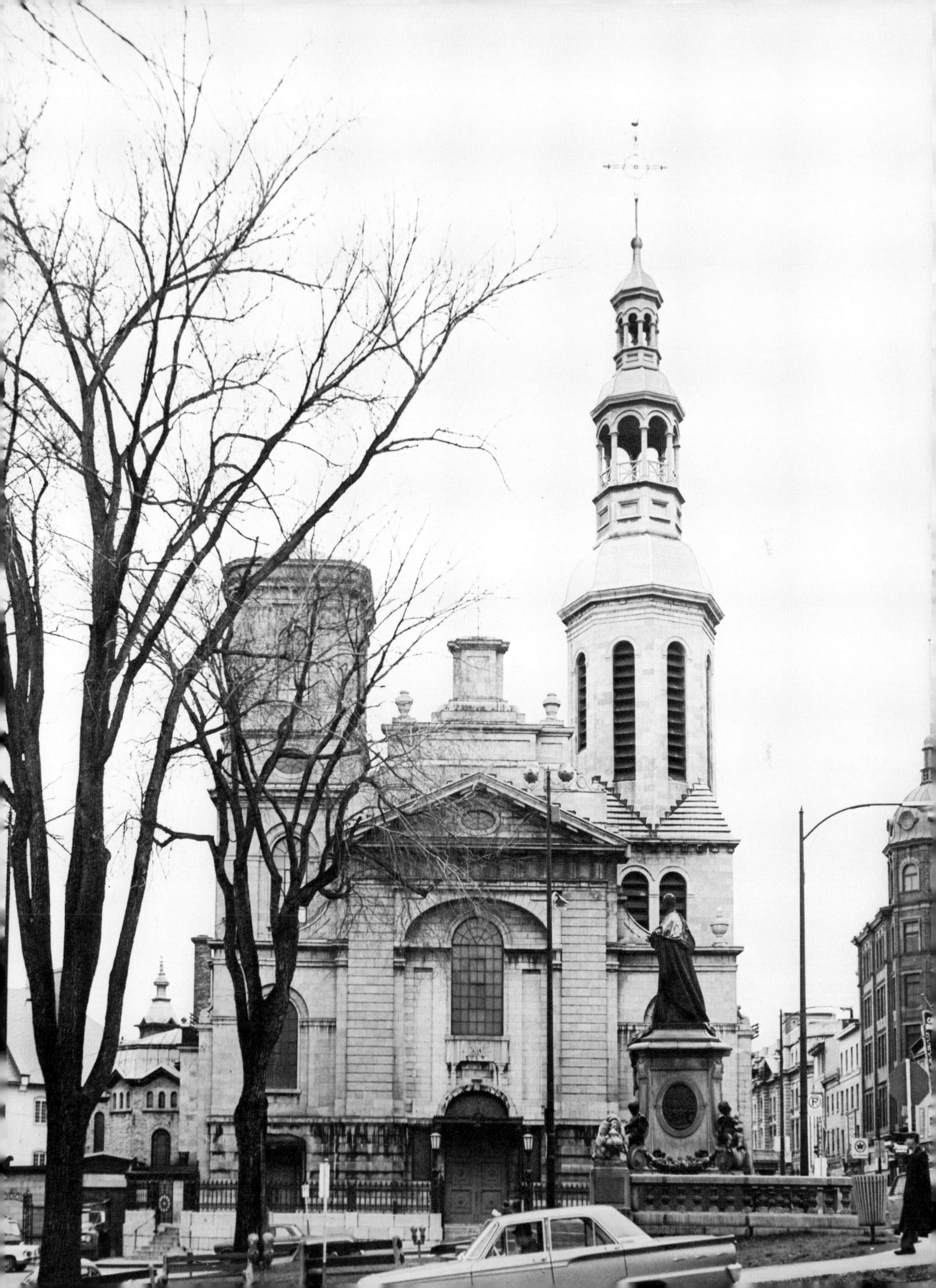

8   "Wolfe & Montcalm Monument. Monument de Wolfe & Montcalm"
Small plate 7¾" (Finlayson Collection)
*The foundation stone of this monument was laid 1827.*

8   "Wolfe & Montcalm Monument. Monument de Wolfe & Montcalm"
Petite assiette 7¾" (Collection Finlayson)
*La première pierre de ce monument fut posée en 1827.*

9   Picture of the Wolfe and Montcalm Monument published in *L'Opinion Publique* September 28, 1871. This exact scene is reproduced in *Canadian Illustrated News*, published 1864.

9   Le monument Wolfe et Montcalm, à Québec. *L'Opinion Publique* du 28 septembre 1871. C'est, trait pour trait, la scène qui parut en 1864 dans le *Canadian Illustrated News*.

Bell Pottery did not make this ware and suggested that the scenes were taken from photographs made by the Livernois firm of Quebec City. The death blow to the theory of the Canadian production of the Quebec Views was given in an article in the *Collector* in the April 1967 issue by the Canadiana student, Miss Hyacinthe Lambart. She stated with finality that the Bell Pottery was producing coarse brown and red ware made from local clay during the period that Thomas was distributing his views, and that the Bell Pottery could not have made this type of more sophisticated earthenware.

The history of the F. T. Thomas firm is now fairly well established. The company commenced business in Quebec City about 1874 as a wholesale importer of earthenware, glass and china articles. Later, on the death of the founder just before the end of the century and probably about 1896 or 1897, the company was operated as the

de M. Cobourne, les ateliers Bell Pottery ne pouvaient réclamer aucune paternité sur cette vaisselle et les scènes qui l'illustraient étaient prises de photos fournies par la maison Livernois à Québec. Mais le coup de grâce à cette théorie d'une fabrication locale canadienne fut donné par un article du *Collector* dans son numéro d'avril 1967, signé par une étudiante, spécialiste de Canadiana, Mademoiselle Hyacinthe Lambart. Elle affirme, sans laisser de place au doute, que les poteries Bell ne produisaient qu'une vaisselle grossière, faite en grès brun et rouge tiré d'une argile trouvée dans la région et qui ne permettait pas la fabrication d'une faïence aussi raffinée que celle des fameux "paysages" que Thomas, à la même époque, distribuait.

L'histoire de la maison F. T. Thomas est maintenant relativement bien déterminée. L'entreprise s'établit vers 1874 dans la ville même de Québec, comme importateur-grossiste d'articles de grès, verrerie et porcelaine. Au décès de son fondateur, probablement en 1896 ou 1897, la compagnie fut gérée sous

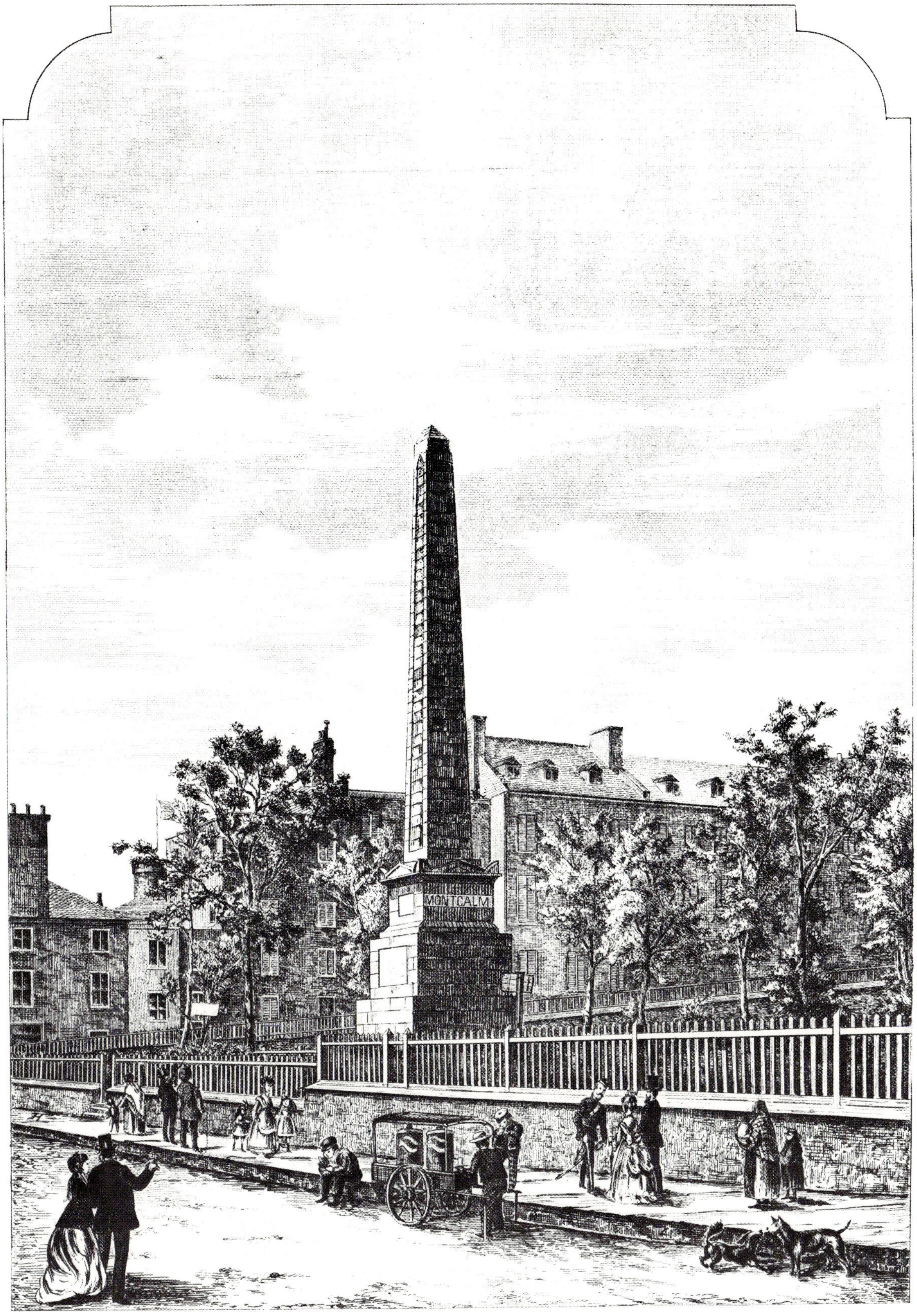
MONTCALM

Estate of F. T. Thomas. Later, probably in 1902 or 1903, the business was incorporated under the name of F. T. Thomas and Co. A Quebec City advertisement of 1903 advertises "Bargains, stock taking is over, and we have a number of tea, breakfast and dinner sets and many other useful lines that we are disposing of at a great reduction". The advertisement was signed F. T. Thomas & Co. Retail Branch, 10 St. John Street.

I am indebted to Mr. Paul de Granville of Quebec City who gave me the invoices, photograph 5. These invoices, dated 1886 and 1887, cover "1 Toilet Set Que View" and "Br Quebec V. Teas" (Brown Quebec Views teacups). It is seen that a dozen teas were sold to the Messrs. King Bros. of Lister, Quebec, for 90¢ and a toilet set of the views, such as are seen in photograph 26, sold for $2.50. There is some mystery about the factory shown in the invoice, which was supposed to be situated at the corner of St. André Street and St. Angela. A man who was employed by the Thomas Company for years stated frankly that such a factory never existed, but it is odd that it is shown on all the invoices. Perhaps Thomas had some financial interest in a small factory that made his Rockingham and Brown Ware, or he may have acted as an agent for Canadian potteries such as Bell, or even Dion.

While we have not been able to prove the existence of this factory, there is plenty of evidence covering the warehouse at 94 Dalhousie Street, as shown on the invoice.

le nom de succession F. T. Thomas et ce n'est qu'en 1902 ou 1903 que cette firme fut incorporée sous la raison sociale F. T. Thomas et Co. Dans une annonce faite à Québec en 1903 on lit ceci: "Aubaines, nos relevés de stock sont terminés et nous pouvons maintenant liquider à un prix très avantageux une certaine quantité de services à thé, déjeûner et dîner ainsi que d'autres séries de vaisselle d'usage courant." Cette annonce fut publiée par la branche détail, 10, rue Saint-Jean de la F. T. Thomas et Co.

Monsieur Paul de Granville de Québec eut l'extrême amabilité de me confier les factures faisant l'objet de la photo 5. Elles datent de 1886 et 1887 et couvrent respectivement l'acquisition d'un service de toilette à paysage québecois et d'un jeu de tasses à thé de facture Brown à paysage québecois. On y voit que MM. King Frères de Lister, Qué., ont acheté une douzaine de "teas" pour 90¢ et, pour $2.50 un ensemble de toilette, également à paysage, dont vous trouverez d'ailleurs une photo sous le n° 26. Un certain mystère entoure la fabrique représentée sur ces factures, censée se trouver au coin des rues Saint-André et Sainte-Angèle. Or un vieil employé de la maison Thomas est catégorique sur ce point: d'aussi loin qu'il se souvienne, il n'a jamais connu de fabrique à cet endroit. Il est étrange alors que toutes ces factures soient émises sous cette raison sociale. Il se pourrait que les établissements Thomas aient eu des intérêts financiers dans une petite poterie qui leur fournissait la vaisselle Rockingham et Brown ou encore qu'ils agissaient comme concessionnaires de céramiques canadiennes telles que les potiers Bell ou même les Dion.

Bien qu'il ne nous fut pas possible de prouver l'existence de cette poterie, il reste suffisamment d'évidences pour pouvoir affirmer que les entrepôts étaient sis au 94, rue Dalhousie, ainsi qu'en fait foi la raison sociale sur la facture. Le bâtiment s'y trouvait indubitablement dans les dernières années

10   "St. John's Gate. Porte St. Jean"
Large platter 12½" x 10" (Willoughby Collection)
*This gate was originally built earlier than the gates such as St. Louis, and was later rebuilt.*

10   "St. John's Gate. Porte St. Jean"
Grand plat de 12½" par 10" (Collection Willoughby)
*A l'origine, cette porte, reconstruite par la suite, est plus ancienne que d'autres, comme la porte Saint-Louis.*

11   "Abraham Hill"
Cream jug (de Volpi Collection)
*This is the rarest of the views, and there is only one such item known. The authenticity of the mug was ascertained by the exact scene on one of the transfers. Note the unique top border decoration not found on any of the other views.*

11   "Abraham Hill" (la Côte d'Abraham)
Pot à lait (Collection de Volpi)
*C'est le plus rare des paysages, dont cet unique exemplaire seulement est connu. L'authenticité de la chopine a été confirmée par l'existence d'une décalcomanie, pareille en tous points. Notez l'exclusive décoration du bord, dont aucun des autres paysages n'est décoré.*

12   "Quebec Harbor & Levis. Havre de Québec & Levis"
Platter 18" x 15" (de Volpi Collection)

*One of the finest of the views. It would be interesting to find the original drawing which was used for this view.*

12   "Quebec Harbor & Levis. Havre de Québec & Levis"
Plat de 18" x 15" (Collection de Volpi)

*Un des plus beaux paysages. Il serait fascinant de retrouver l'original du dessin ayant servi à cette décalcomanie.*

This building certainly did exist in the late 1870's. Miss Norma Lee, who has done detailed research on the subject of early Quebec City institutions, discovered the engraving of the F. T. Thomas office and showroom which is reproduced in photograph 4. This was taken from a brochure dated 1884 describing well-known Quebec business establishments.

The picture appears to illustrate the warehouse, which also contained a showroom before the retail branch in St. John St. was opened. A magnifying glass allows one to examine with some degree of accuracy the items contained therein. There are the usual tea, dining and toilet sets shown in great quantities. Undoubtedly many of the Quebec Views were on display and certainly some of the items, particularly the jugs, seem to be of the Portneuf style. Unfortunately no Thomas documents other than those mentioned have been discovered. It certainly would be a find if some of the early Thomas catalogues could be unearthed. It is said that all these documents were burnt.

1870. Mlle Norma Lee, qui s'est très attentivement penchée sur les institutions les plus anciennes dans la ville de Québec, a découvert l'enseigne des bureaux et salles d'échantillons de F. T. Thomas, comme le montre la photo 4. C'est une reproduction tirée d'une brochure éditée en 1884, décrivant les maisons de commerce les plus réputées de Québec.

La gravure semble être celle du dépôt auquel était rattachée une salle d'exposition, avant que le magasin de la rue Saint-Jean soit ouvert. A la loupe, il y a moyen de déterminer avec plus ou moins de précision les articles exposés. Nous y retrouvons de grandes quantités de services à café ou à thé, à dîner et garnitures de lavabo. Il n'y a aucun doute que de nombreuses pièces à paysages québecois y sont représentées, plus particulièrement les cruches et cruchons qui sont probablement dans le style Portneuf. A part ceux dont nous avons fait mention plus tôt, aucun autre document Thomas n'a été découvert. Une trouvaille précieuse serait sans nul doute de mettre la main sur l'un des plus anciens catalogues Thomas. Malheureusement, l'histoire veut que tous ces documents furent brûlés.

13  "Quebec, from Point Levis. Québec, vue de Point Levis"
*Transfer used on tureens (de Volpi Collection)*

13  "Quebec, from Point Levis. Québec, vue de Point Levis"
*Décalcomanie pour soupières (Collection de Volpi)*

14 "Dufferin Terrace & Citadel. Place Dufferin & Citadelle"
Dinner plate 10¾" (Willoughby Collection)
*Durham Terrace was renamed Dufferin Terrace in 1879.*

14 "Dufferin Terrace & Citadel. Place Dufferin & Citadelle"
Assiette à dîner de 10¾" (Collection Willoughby)
*Cette terrasse, d'abord appelée Durham, fut rebaptisée Dufferin en 1879.*

15  "View Looking North from the Citadel. Vue prise de la Citadelle"
Platter 14″ x 11″ (Willoughby Collection)

15  "View Looking North from the Citadel. Vue prise de la Citadelle."
Plat de 14″ x 11″ (Collection Willoughby)

16  "Wolfe's Monument. Monument de Wolfe"
Plate 7¾" (Finlayson Collection)

*See also photograph 20. The monument was in ruins and restored in 1869.*

16  "Wolfe's Monument. Monument de Wolfe"
Assiette de 7¾" (Collection Finlayson)

*Voir aussi la photo 20. Ce monument qui menaçait ruine fut restauré en 1869.*

17  "Breakneck Steps. Escalier Camplain"
Small cup (Sharpe Collection)

*On the other side of this cup is the Basilica as shown on the toothbrush holder in Photo 6. Around the top of the cup, inside, is the border of maple leaves and beaver used on the toothbrush holder. A similar border design appeared on the cup's accompanying plate. The probable source of the design is shown on plate number 2, a stereograph by L.-P. Vallée, in Ralph Greenhill's* EARLY PHOTOGRAPHY IN CANADA *(Toronto, 1965).*

17  "Breakneck Steps. Escalier Camplain"
Petite tasse (Collection Sharpe)

*La même Basilique que celle reproduite sur le pot à brosses à dents de la photo 6, se retrouve sur l'autre face de la tasse. Et, comme sur le pot à brosses à dents, la bordure intérieure est un entrelac de feuilles d'érable et castor, également rappelé sur l'assiette assortie. Une stéréographie de L.-P. Vallée est probablement à la source de ce motif, montré sur la plaque n° 2 et dont Ralph Greenhill fait mention dans son ouvrage* EARLY PHOTOGRAPHY IN CANADA, *paru à Toronto en 1965.*

# The Cochran Transfers

# Les décalcomanies Cochran

The acquisition by Mr. Charles de Volpi of a partial set of the F. T. Thomas Quebec View transfers made for the Britannia Pottery has allowed us to fill in many of the gaps in this fascinating puzzle. Mr. de Volpi obtained these transfers from an antique dealer in Montreal, who in turn had acquired them from a collector. I presume they were sent by the maker to the Thomas Company in Quebec City to be approved before the pottery was produced. It seems only natural that Thomas would have to approve each set of transfers before the manufacturer could proceed. Photograph 18 has been taken from the transfer illustrating the Montmorency Falls, summer and winter views. In addition to the Cochran, St. Rollox, Britannia mark, the F. T. Thomas mark is also shown on the transfers. The typical beaver, maple leaf, thistle, rose and shamrock border can be clearly seen. At the right side of the transfer part of the backing paper has been peeled back to show the actual imprint of the flowers as they would appear on the pottery.

Lorsque M. Charles de Volpi réussit à se procurer auprès d'un antiquaire de Montréal, qui l'avait, lui, d'un autre collectionneur, un jeu incomplet de décalcomanies des paysages québecois de F. T. Thomas, faites pour les poteries Britannia, il devint possible de remplir pas mal de lacunes dans leur fascinante histoire. Il m'a semblé logique de déduire de la présence de ces décalcomanies à Québec, qu'elles furent envoyées par le fabricant d'outre-mer à la compagnie Thomas en vue de leur approbation avant d'être mises en production. La photo 18 représente la décalcomanie montrant les scènes d'hiver et d'été des Chutes Montmorency. Outre l'estampille des Cochran, St. Rollox, Britannia, celle de F. T. Thomas figure aussi sur ces décalcomanies. La bordure typique de castors dans des entrelacs de feuilles d'érable, chardons, roses et trèfles est nettement apparente. Sur la droite du motif, le papier de protection au verso a été décollé pour montrer comment les fleurs se présentent sur la vaisselle après le transfert de la décalcomanie.

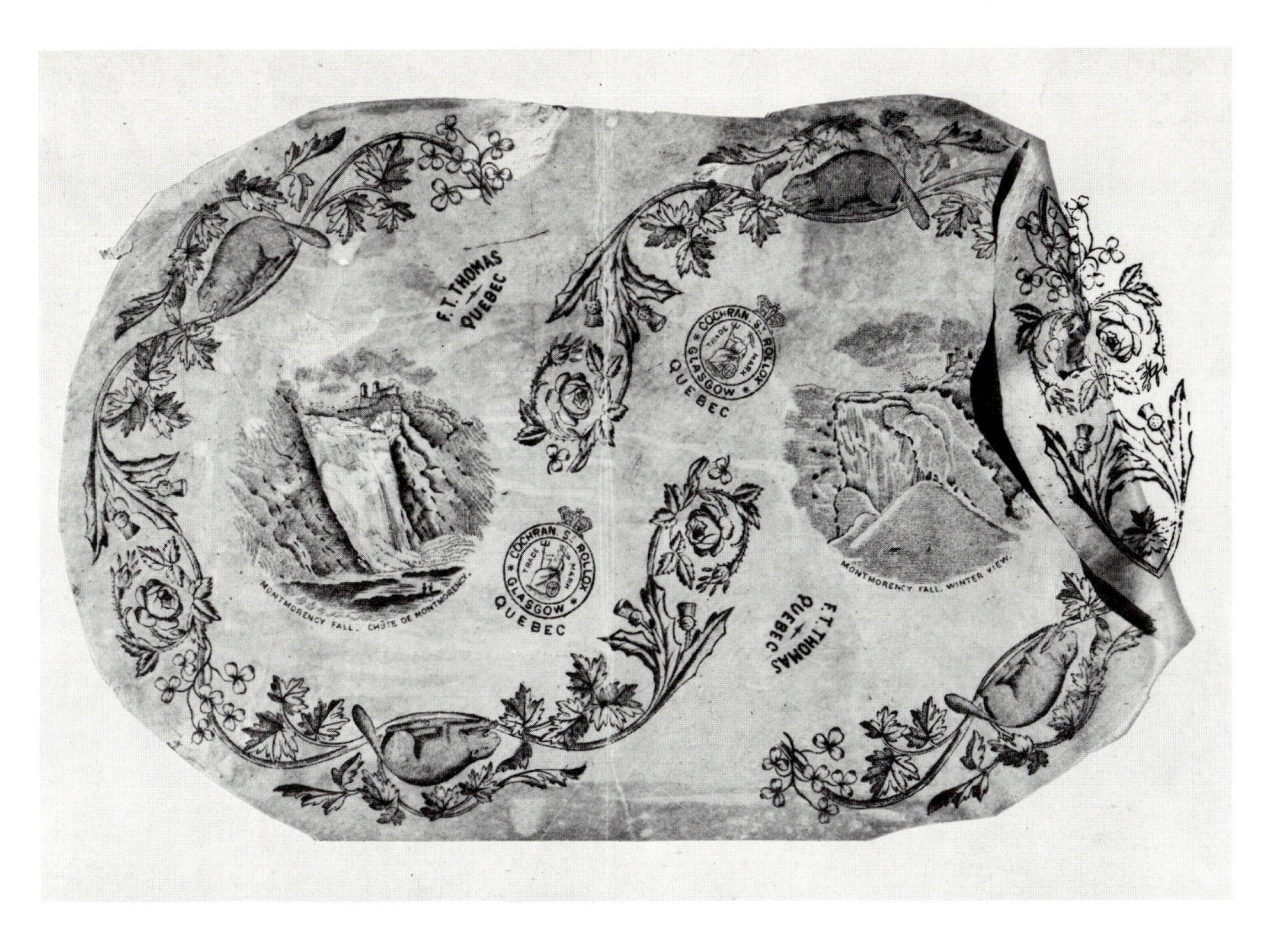

18 Transfer, "Montmorency Fall. Chûte de Montmorency", summer and winter views (de Volpi Collection)

*Now in Royal Ontario Museum, Sigmund Samuel Gallery, Toronto. (See discussion relative to Britannia Pottery and Thomas marks.)*

18 Décalcomanie des vues d'été et d'hiver des Chûtes de Montmorency (Collection de Volpi)

*et que possède maintenant la Galerie Sigmund Samuel du Musée Royal de l'Ontario à Toronto. (Se rapporter aux paragraphes consacrés à la Britannia Pottery et aux estampilles et marques Thomas.)*

19 "Montmorency Fall. Chûte de Montmorency", summer and winter views
Small plates 7" (de Volpi Collection)

*Note unusual escolloped edge of the right-hand winter view.*

19 "Montmorency Fall. Chûte de Montmorency", vues d'été et d'hiver
Petites assiettes de 7" (Collection de Volpi)

*Remarquez le bord festonné peu commun sur l'assiette à paysage d'hiver, à droite.*

This set of transfers also includes the drawing of Chaudière Falls, again with the Thomas and Cochran marks, and a very interesting transfer which includes the Lorette Falls and the Abraham Hill scenes in addition to the normal Thomas and Cochran marks. One of the transfers had been given by Mr. de Volpi to the McCord Museum in Montreal, and another to the Royal Ontario Museum, Sigmund Samuel Gallery, in Toronto. It is interesting to compare the transfers of the Montmorency Falls, photograph 18, with that of two plates showing similar views as seen in photograph 19. Presumably the centre view would be placed on the middle of the piece of pottery. The border would then be cut out and placed around the edge of the object to be decorated.

Montmorency Falls, which is approximately nine miles north-east of Quebec where the Montmorency flows into the St. Lawrence, is one of the most visited tourist attractions in the Province of Quebec. The falls in summer and winter were photographed, painted and drawn many times by artists who visited Quebec City. While dozens of these pictures have been examined, I have not been able to find one which exactly corresponds with the scene of the falls used on the Thomas Views. Undoubtedly, as with other items in the series, some artist in Scotland adapted whatever reproductions he could find to make the drawings used in these transfers.

Transfer printing is a rather intricate operation. What is perhaps the simplest explanation of the process is given in the January, 1930 issue of the magazine *Antiques*, in an article "Transfer Printing on China". Stripping the method to its essentials, an engraver with a sharp steel tool cuts the design

Ce jeu de décalcomanies comporte aussi des vues des Chutes de la Chaudière, également avec les estampilles de Thomas et de Cochran. En plus des factures habituelles Thomas et Cochran, ce jeu comprend encore une très curieuse décalcomanie représentant les Chutes Lorette et la Côte d'Abraham. M. de Volpi a offert une de ces décalcomanies au Musée McCord à Montréal, et une autre à la Galerie Sigmund Samuel du Musée Royal de l'Ontario à Toronto. Il est intéressant de faire la comparaison entre les décalcomanies représentant les Chutes Montmorency, photo 18, avec les scènes similaires ornant les deux assiettes montrées dans la photo 19. La scène du centre est probablement destinée à figurer au milieu du plat à orner, tandis que la bordure est ensuite découpée et mise en place sur les bords de cette vaisselle.

Les Chutes Montmorency marquent l'endroit où la rivière Montmorency se jette dans le Saint-Laurent, à quelque neuf milles au nord-est de la ville de Québec. Dans toute la province, c'est probablement le point touristique qui attire le plus de visiteurs. Ces chutes, été comme hiver, connaissent l'engouement des photographes, peintres et artistes qui visitent la ville de Québec. Parmi toutes les reproductions de ces chutes que j'ai eu l'occasion d'examiner, pas une ne correspond fidèlement aux scènes des chutes employées dans les paysages Thomas. Il n'est donc pas difficile de s'imaginer qu'un artiste d'Écosse fit, comme pour d'autres pièces de ces séries, les adaptations les plus habiles possibles des vues et gravures dont il disposait pour les décalcomanies.

Le transfert d'une décalcomanie est une opération assez compliquée pour laquelle il faut un certain doigté. L'explication la plus simple que j'en connaisse est sans doute un article paru dans le numéro de janvier 1930 de la revue *"Antiques"*, intitulé "Transfer Printing on China" (décalcomanie sur porcelaine). Le procédé y est décrit dans ses grandes lignes. Un graveur grave le dessin en

on a soft copper plate. This design, of course, has been taken from a drawing, painting, or photograph of the scene. The copper plate is warmed, rubbed with the colour required, and wiped. A dampened sheet of transfer paper is laid on the engraved and inked plate, and pressed. When the paper is lifted the design remains on it. Now the transfer is applied to the item to be decorated, which is then glazed, dried and baked in a kiln. This process firmly imprints the design on the china.

taille-douce dans une feuille de cuivre doux. Le dessin est la copie d'une peinture, d'une photo ou d'un croquis d'artiste. La feuille de cuivre est ensuite chauffée, puis enduite des coloris requis et enfin essuyée. Une feuille de papier de reproduction humectée est placée et compressée sur la plaque gravée et encrée. Lorsqu'on soulève ce papier, le dessin y reste collé et devient la décalcomanie à transférer. Dès que la pièce à décorer a reçu ce transfert, elle est glacée, séchée et ensuite cuite au four à céramique. Les motifs de décoration sont fermement rapportés sur la porcelaine par ce procédé d'impression.

# The Views Used on the Thomas Quebec Pottery

# Paysages québecois employés sur les poteries Thomas

The first listing of half a dozen views grew to the list published in Mr. A. S. Thompson's article in the *Canadian Antiques Collector* summer 1966 issue. A further item, identified by me, was the Abraham Hill jug, photograph 11. This sketch does not seem to have much in common with the other views but it can be authenticated as it is clearly shown in one of the transfers. All the known views are reproduced and listed in this chapter, with specific comments under the photographs.

A fascinating article, "The Monuments and Scenery in Quebec", appeared in the Quebec periodical *Canadian Illustrated News*, September 12, 1874. An illustration from it is shown in photograph 20. Similarities to the Quebec Views are noted under each photograph.

Le premier rapport, qui ne mentionnait qu'une demi douzaine de scènes connues, prit les proportions d'une liste dans l'article écrit par M. A. S. Thompson pour le numéro d'été 1966 de la revue *Canadian Antiques Collector*. Comme en fait foi la photo 11, je pus également identifier le cruchon Côte d'Abraham dans cette catégorie. Le motif ne semble pas prêter beaucoup de similitudes avec les autres paysages. Cependant, ainsi que le prouve une des décalcomanies, son authenticité peut être clairement établie. Toutes les scènes connues de ces paysages sont reproduites et répertoriées dans ce chapitre, dont les photographies sont accompagnées de légendes documentées.

Un article fascinant, intitulé "The Monuments and Scenery in Quebec" fut publié le 12 septembre 1874 dans un périodique québecois, le *Canadian Illustrated News*. Une reproduction en est donnée dans la photo 20 dont la légende souligne les analogies retrouvées dans les scènes des Paysages québecois.

20 "QUEBEC, its Monuments and Scenery" (de Volpi Collection)
Page from *Canadian Illustrated News,* September 12, 1874.

*Comparisons can be made with Lorette Falls photograph 22, Wolfe & Montcalm Monument photographs 8 and 9, and Chaudière Falls View photograph.*

20 "QUÉBEC, ses Monuments et Sites" (Collection de Volpi)
Page tirée du *Canadian Illustrated News* du 12 septembre 1874.

*Une comparaison peut être faite entre les Chûtes Lorette, photo 22, le monument Wolfe et Montcalm, photos 8 et 9, et la photographie des Chûtes de la Chaudière.*

21  "Chaudière Falls. Chûtes de la Chaudière"
Large wash basin (de Volpi Collection)
*See photograph 20.*

21  "Chaudière Falls. Chûtes de la Chaudière"
Grand bassin de toilette (Collection de Volpi)
*Voir photo 20.*

There has been much speculation as to the source of the illustrations which were used by the artist in making the transfers used on this pottery. It is possible that the *Canadian Illustrated News* article was available to the artists who etched the plates. Similarly, it is possible that these artists used photographs taken by Livernois & Bienvenu, the Quebec City photographers. This firm, which began in 1854, is still in business and a fascinating study could be made of a large group of

L'origine des gravures dont se sont servis les graveurs des décalcomanies, destinées aux poteries, a donné lieu à bien des conjectures. Il est même possible que ces artistes aient eu l'article du *Canadian Illustrated News* à leur disposition lorsqu'ils gravèrent les plaques de cuivre. Ou encore, rien ne nous empêche de croire que les photos sorties des studios Livernois et Bienvenu, photographes à Québec, servirent de modèles à ces décalcomanies. Cette maison, établie en

glass photographic plates which were bought from Livernois & Bienvenu by Mr. Andrew Merrilees of Toronto. Part of the group is now in his collection and another part is in the National Museum in Ottawa.

The Livernois & Bienvenu picture of the Smiths Paper Mill at Lorette, photograph 23, shows the close resemblance of the photographic plate and the Lorette Falls View on the sugar jug in photograph 22.

While the article from *Canadian Illustrated News* has been extensively used in the notes attached to the photographs of the individual pieces of pottery, I cannot resist the temptation to quote from the opening paragraphs of this article, which must have been written just before or during the period that the artists were producing their early impressions of the monuments and scenery of Quebec:

> By its historical associations, its numerous monuments, and the lovely scenery that surrounds it, Quebec has a triple claim to the title of the most picturesque and interesting city in North America. Every foot of the city and surrounding country is hallowed with remembrances of the past, and of the monuments with which its streets are thickly strewn, many have been silent witnesses of the greatest events in the history of this country. Its hilly streets and quaint by-ways, the peculiarity of its position, its fortifications, and relics of antiquity, once seen are not easily forgotten.

1854, existe encore de nos jours. C'est là que Monsieur Andrew Merrilees de Toronto fit l'acquisition d'un lot important de plaques sensibles en verre, qui se prêtent à une étude fascinante. Une partie de ce lot se trouve maintenant au Musée National à Ottawa et le reste fait partie de la collection personnelle de M. Merrilees.

La photo des Papeteries Smiths à Lorette, sortant des studios Livernois & Bienvenu, reproduite ici sous le n° 23, fait ressortir une forte ressemblance avec la plaque photographique et le paysage intitulé Chutes Lorette qui orne le sucrier de la photo 22.

Bien que je me sois déjà largement servi de l'article tiré de *Canadian Illustrated News* pour la légende des photographies de pièces individuelles, je ne peux résister à la tentation de citer l'entrée en matière de cet article, qui a dû paraître juste avant ou tout au début de la période des premières impressions artistiques ayant pour sujet les monuments et sites de Québec.

> La ville de Québec peut prétendre être la ville la plus pittoresque et la plus intéressante du continent nord-américain, puisqu'elle bénéficie d'un triple avantage; celui d'avoir un riche passé historique, de posséder de nombreux monuments anciens et d'être, en outre, entourée de splendides paysages. A chaque pas, tant dans la ville même que dans les campagnes avoisinantes, on peut se retremper dans le passé, s'imaginer les événements les plus importants dans l'histoire de notre pays, desquels toutes ces statues et ces vieux bâtiments furent les témoins silencieux. Il est difficile d'oublier l'emprise qu'ont sur nous ses vieilles rues en pente, ses ruelles tortueuses, ses fortifications et ses reliques d'époques défuntes.

22 "Lorette Falls. Chûtes de Lorette"
Small pink sugar bowl (de Volpi Collection)

*Compare with photographs number 20 and 23. Consult also the different but rather similar J. P. Cockburn's view of Jeune Lorette, the F. S. Spendlove article reproduced in* CANADIAN COLLECTOR *February 1967. This watercolour was made during the period 1826-1836.*

22 "Lorette Falls. Chûtes de Lorette"

*Petit sucrier rose (Collection de Volpi) qu'il faut comparer avec les photos 20 et 23. Il conviendrait aussi de se rapporter à la vue différente mais fortement apparentée de Jeune Lorette de J. P. Cockburn, reproduite dans un article de F. S. Spendlove paru dans le numéro de février 1967 du* CANADIAN COLLECTOR. *Cette aquarelle fut réalisée entre 1826 et 1836.*

23   Smith's Paper Mill, Lorette

*Photograph from the Public Archives of Canada. Taken from a glass plate produced by the Quebec City photographers, Livernois & Bienvenue, unknown date. Very likely the source of both the CANADIAN ILLUSTRATED NEWS and the Quebec View transfer used on the sugar jug, item 22.*

23   La papeterie Lorette de Smith

*Cette photo appartient aux Archives publiques du Canada et fut développée à partir d'un négatif de verre produit par les photographes Livernois et Bienvenue de la ville de Québec, à une date non connue. Cette plaque est fort probablement à l'origine de la gravure parue dans le CANADIAN ILLUSTRATED NEWS et de la décalcomanie du Paysage québecois employée pour le sucrier de la photo 22.*

THOMAS QUEBEC VIEWS
PAYSAGES "THOMAS" DU QUEBEC

| No. | Title/Titre | Items/Articles |
|---|---|---|
| 1. | St. John's Gate<br>Porte Saint-Jean | Large & small platter, open vegetable dish (12½" x 10")<br>Grand et petit plats, légumier sans couvercle (12½" x 10") |
| 2. | St. Louis Gate<br>Porte Saint-Louis | Various plates & chamber pot (7¾")<br>Assiettes variées et vase de nuit (7¾") |
| 3. | Wolfe's Monument<br>Monument Wolfe | Small plates (8¼" & 8¾")<br>Petites assiettes (8¼" et 8¾") |
| 4. | Wolfe & Montcalm Monument<br>Monument Wolfe et Montcalm | Small plates (7½" & 7¾")<br>Petites assiettes (7½" et 7¾") |
| 5. | Quebec Harbour & Lévis<br>Port de Québec et Lévis | Large platter (18" x 15")<br>Grand plat (18" x 15") |
| 6. | View Looking North from the Citadel<br>Vue du Nord prise de la Citadelle | Large platter (16" x 12½") and small platter (14" x 11")<br>Grand plat (16" x 12½") et petit plat (14" x 11") |
| 7. | Quebec from Point Lévis<br>Québec vue de Pointe Lévis | Large tureen<br>Grande soupière |
| 8. | Dufferin Terrace & Citadel<br>Terrasse Dufferin et Citadelle | Large dinner plate (10¼")<br>Grande assiette plate (10¼") |
| 9. | Basilique & Séminaire<br>Basilique & Séminaire | Cups, butter plates, sugar bowl and toothbrush holder<br>Tasses, assiettes à pain, sucrier et portebrosse à dents |
| 10. | Breakneck Steps<br>Marche casse-cou | Cups and small butter plates<br>Tasses et petites assiettes à pain |
| 11. | Abraham Hill<br>Côte d'Abraham | Small Pitcher<br>Petit cruchon |
| 12. | Cape Diamond<br>Cap Diamant | Covered vegetable dish (12" x 7")<br>Légumier à couvercle (12" x 7") |
| 13. | Lorette Falls<br>Chutes Lorette | Milk jug, sugar bowl and vegetable dish (10¾" x 9")<br>Pot à lait, sucrier et légumier (10¾" x 9") |
| 14. | Chaudière Falls<br>Chutes de la Chaudière | Water basin<br>Bassin |
| 15. | Montmorency Falls<br>Chutes Montmorency | Small plates (7") and saucers<br>Petites assiettes (7") et soucoupes |
| 16. | Montmorency Falls Winter Views<br>Chutes Montmorency, scènes d'été et d'hiver | Small plates (6½") and saucers<br>Petites assiettes (6½") et soucoupes |
| 17. | Natural Steps Montmorency River<br>Marches naturelles Rivière Montmorency | Water ewer and chamber (9½" x 9")<br>Broc à eau et pot de chambre (9½" x 9") |
| 18. | Huron Indian (standing)<br>Indien Huron (debout) | Cups and small butter plates<br>Tasses et petites assiettes à pain |
| 19. | Huron Indian (seated)<br>Indien Huron (assis) | Cups and small butter plates<br>Tasses et petites assiettes à pain |

24  "Natural Steps Montmorency River. Marches naturelles Rivière Montmorency"
Large water jug from toilet set (de Volpi Collection)

24  "Natural Steps Montmorency River. Marches naturelles Rivière Montmorency"
Grand broc à eau d'une garniture de lavabo (Collection de Volpi)

25  "Cape Diamond. Cap Diamant"
12" x 7" covered vegetable dish (de Volpi Collection)

*Note use of a large beaver, maple leaf and flower border decoration.*

25  "Cape Diamond. Cap Diamant"
Légumier à couvercle de 12" x 7" (Collection de Volpi)

*Remarquez la présence d'un large bord à motif castors, feuilles d'érable et fleurs.*

45

26  Quebec Views toilet set photographed in de Volpi residence.
*Note pot 9½" x 6" Natural Steps Montmorency River.*

26  Garniture de lavabo Paysages québecois photographiée dans la résidence de Volpi.
*Remarquez le pot de 9½" x 6" décoré de la scène "Marches naturelles de la Rivière Montmorency".*

27  Huron Indians
Small cup and toothbrush holder (Sharpe Collection)

*These illustrations are presumed to be taken from drawings of Hurons from the Indian village called Ancienne Lorette on the outskirts of Quebec City. The woman has been commonly called the "Basket Seller" and the male, "Indian with Bow and Arrow". The Hurons of Lorette were driven out of the Georgian Bay area by the Iroquois and settled in this village which was at that time about eight miles from Quebec City.*

27  Indiens Hurons
Petite tasse et porte-brosses à dents (Collection Sharpe)

*Ces illustrations sont réputées être des reproductions de dessins représentant les Hurons du village indien appelé Ancienne Lorette dans la banlieue de Québec. La femme était généralement appelée la "Vendeuse de paniers" et l'homme "l'Indien à l'arc et flèche". Les Hurons de Lorette furent repoussés hors des territoires des environs de la Baie Georgian par les Iroquois et s'installèrent dans le village qui se trouvait à huit milles des limites que la ville de Québec avait à cette époque.*

PART III

# THE PORTNEUF PUZZLE

IIIᵉ PARTIE

# LE CASSE-TÊTE PORTNEUF

28   Buffet (Costello Collection)

*Containing three different rosette pattern plates and various Portneuf bowls. The dog bowl in the upper right-hand section of the buffet is a very rare item. A mug purchased in Scotland has exactly the same sponged dog pattern.*

28   Vaisselier (Collection Costello)

*Sur lequel sont exposées des assiettes à trois motifs rosette différents et un assortiment de bols Portneuf. Le bol au motif de chien en haut, à droite, sur le vaisselier est un article très rare. Une chope, garnie du même motif à chien peint à l'éponge a été achetée en Ecosse.*

# A Problem of Definition

# Les dilemmes de la définition

The small village of Portneuf is on the north side of the St. Lawrence River approximately thirty miles west of Quebec City. Tradition has it that a Canadian pottery at one time existed near this village. Certainly Quebec City museum authorities promoted this view. But the village and its environs have been examined and no remains of a pottery have been found, though there is some evidence that at least one collector lived in the town and possessed a large number of Portneuf pots. Some distance behind the village there is a deposit of clay, but this is not the type that could be used for making the ceramics which bear the Portneuf name. Another rumour has it that a ship laden with pottery from Scotland foundered in the port and the residents succeeded in salvaging a large number of bales of merchandise which contained pottery on the way to Montreal. This, it was said, was the reason for the presence

Le petit village de Portneuf est situé sur la rive gauche du Saint-Laurent à quelque trente milles à l'ouest de la ville de Québec. La tradition a toujours voulu que ce fut le berceau d'une certaine poterie canadienne et, dans les musées du Québec, on ne se faisait pas faute de soutenir cette hypothèse. Or, le village et ses environs ont été soumis à des fouilles en règle, sans qu'aucun vestige de faïences anciennes n'ait pu être mis à jour. Ces recherches ont cependant prouvé qu'au moins un collectionneur vécut là, au milieu d'un assortiment bien fourni en pots Portneuf. Une veine de terre glaise existe à quelque distance du village, mais sa composition ne correspond pas à celle qui pourrait servir à la fabrication des céramiques appelées Portneuf. D'autre part, certains avancent que les riverains réussirent à sauver une grande partie de la cargaison d'un navire venant d'Écosse, qui sombra en rade, les flancs lourdement chargés de vaisselle et pots destinés à Montréal. C'est ce qui expliquerait la présence en aussi grande quantité d'articles

of so many early pottery items in this locality. Whatever the reason, the Canadiana collectors named this type of pottery Portneuf.

Certainly there is no evidence that this pottery was ever manufactured in Canada, although in exhibitions held some years ago it was identified as a Canadian product. In fact investigations have shown that no clay had been discovered in Canada at this time that could be used to make Portneuf items, and there is no evidence that the potteries that were operating, mainly in the vicinity of Quebec City, ever produced items of this nature. It should be added that the Scottish and Staffordshire potteries and the collections in Great Britain have never used the name Portneuf.

Thus we are faced with the problem of what to do with the name Portneuf. It seems to be sensible not to do away with this long-established name but to use it to cover a class of imported pottery and to concentrate on identifying and naming specific items in this general class.

From these comments and those following, it can be seen that it is easier to say what is not Portneuf than what is. However, the following definition broadly limits the classification. Portneuf pottery can be described as: simple pottery for use on table and in toilet, decorated in vivid colours by sponge and band painting, generally having no maker's marks, exported from Great Britain and particularly from Scotland to Canada in

de faïence ancienne dans cette région du pays. Quelle qu'en soit la raison, les amateurs de Canadiana, donnèrent le nom de Portneuf à ce genre de vaisselle.

Rien ne prouvait pourtant qu'elle sortait d'ateliers de potiers québécois ou d'ailleurs au Canada. Malgré cette absence d'évidence, ces faïences, partout où elles étaient exposées, s'identifiaient, il y a quelques années à peine, à des articles de production canadienne. Or, toutes les recherches entreprises sont unanimes à établir, qu'à l'époque où les poteries Portneuf étaient fabriquées, aucune veine d'argile, propre à cette production, n'avait encore été découverte au Canada. Il n'existe en outre aucune preuve, surtout pas dans les environs de Québec, qu'il existait des ateliers de potiers en mesure de produire des faïences de cette nature. Il convient également de faire le point sur le fait que ni les potiers écossais ni ceux du Staffordshire ni même les collectionneurs britanniques n'ont jamais employé l'appellation Portneuf.

Nous nous trouvons donc devant le dilemme de savoir dans quel contexte il convient de placer ce nom de Portneuf. Il semblerait plus sage de ne pas éliminer cette appellation connue depuis longtemps mais de réserver ce nom pour désigner et identifier une certaine catégorie de faïence de nature bien spécifique.

Les commentaires qui précèdent, ainsi que ceux qui suivent, montrent d'emblée qu'il est plus facile de déterminer ce qui n'est pas Portneuf que ce qui l'est. Nous pouvons cependant tracer dans ses grandes lignes les limites de cette classification Portneuf. Cette faïence peut se décrire comme une poterie utilitaire, haute en couleurs, soit vaisselle de table soit broc, bassin et accessoires de lavabo, jaspée par procédé d'éponge ou décorée de filets peints. Ces pièces, généralement sans marque de fabrique, furent exportées de Grande-Bretagne, plus particulièrement

a period from about 1840 to 1920 and distributed in the main from Quebec City and Montreal to the settlements on the banks of the St. Lawrence River.

Breaking down the definition, these items are finer pottery than crude earthenware or stoneware, but not as fine as porcelain or china. In general, the commonest items were used in the house for table, kitchen and toilet ware. Thus we have all sizes of bowls from a diameter of three inches up to sixteen inches, and a depth of three inches to eight inches. These are the commonest items and were used to prepare, cook, and hold food and drink. In Scotland, where most of the bowls were manufactured, they are commonly called porridge bowls. In addition there were all types of eating and serving plates and of course cups and mugs of all dimensions. The toilet sets contained washbasins, water jugs, toothbrush holders, soap dishes and bed pots. While by far the largest quantity of ceramic imports in Canada were stonewares, the so-called Portneuf items usually cost more and had a higher value when used in the houses of the settlers and in the small but growing number of villages and towns.

Hundreds of thousands of stoneware and pottery items were sent to Lower Canada and later to Upper Canada during the latter part of the nineteenth and the early twentieth century. One must remember that most of the houses were made of logs or rough lumber and that a very small percentage of these original houses remain intact. Fire was an ever present danger and certainly most of the stoneware and pottery items sent to this country have disappeared either through fire or from normal breakage. It was only in the early twentieth century that connoisseurs began collecting these picturesque bowls and plates which look so appropriate

d'Écosse, entre 1840 et 1920. La majeure partie de ces cargaisons fut acheminée vers les villages riverains du Saint-Laurent.

Pour en revenir à leur définition, il s'agit de faïences moins grossières que les grès glacés ou les terres cuites, mais n'atteignant pas la finesse des demi-porcelaine et porcelaine. Ces articles étaient réservés, en général, à l'usage domestique journalier et servaient de vaisselle de table, de cuisine et de garnitures de lavabo. Il existait toute une série de terrines de dimensions variées, allant d'un diamètre de trois à seize pouces, et d'une profondeur de trois à huit pouces. Ce sont alors des articles communément employés pour préparer ou conserver les aliments et les boissons. En Écosse, où ces plats trouvent leur origine, ils sont bien connus comme bols à porridge. Outre ces ustensiles de cuisine, la série comportait aussi toutes sortes d'assiettes, plats et compotiers, sans oublier bien sûr, les tasses, gobelets et chopes de tous formats. Les garnitures de lavabo comprenaient des brocs à eau, bassins de toilette, porte-savons, vases de nuit, porte-brosses à dents. Bien que la plus grande partie des céramiques importées au Canada fussent en faïence, les articles dénommés Portneuf coûtaient plus cher en général et étaient beaucoup plus appréciés par les émigrants et les habitants des petites villes et des villages qui se créaient et se multiplaient.

Les pièces de faïence et de poterie distribuées dans le Bas-Canada et plus tard dans le Haut-Canada se comptent par centaines de mille, à la fin du XIX$^e$ siècle et au début du XX$^e$. Il faut se rendre compte que les maisons de cette époque étaient, pour la plupart, des cabanes ou de rondins ou de grosses planches, proies naturelles du feu. La disparition de cette masse de poterie est fort probablement due, autant aux incendies, qu'à la casse normale à l'usage. Ce ne fut qu'au début du XX$^e$ siècle que les connaisseurs commencèrent à collectionner ces pittoresques terrines,

and colourful in pine cupboards. A glance at Jean Palardy's *The Early Furniture of French Canada* indicates the manner of showing these items. Indeed Palardy has produced not only a fine book on Canadian furniture but also the most comprehensively illustrated volume showing ceramic imports. While it is true that the first collectors were mistaken in thinking that Portneuf wares were manufactured in Canada, they were not wrong in classifying them as Canadiana, for a true definition of Canadiana covers items such as the Portneuf plates and bowls which were manufactured in the main for the Canadian market.

The "vivid colours" of our definition are illustrated for the first time in this volume, which shows the splendid array of shades of colour used on so-called Portneuf items. These colours are in the main primitive, yet gay, with little attempt at shading, and they were ideally suited to the Canadian environment in which they were used. One can see that they range through various shades of red, pink, brown, green, blue and yellow.

"Sponge and band painting" is a somewhat technical phrase used to cover over ninety percent of the Portneuf items illustrated. In sponge painting the root of a sponge — which is much firmer and closer-textured than the more familiar top part — was cut in the pattern desired, then dipped in colour and applied by hand to the items to be glazed and fired. While sponge decoration was used in England in the early part of the nineteenth century, it reached a peak of usage in the Scottish potteries in the last half of the nineteenth century. The word "band" covers the hand-painted lines which are used to decorate these wares — mainly the top border of the bowls, plates and other utensils but also often the main body and

bols et assiettes qui parent si harmonieusement le vaisselier de sapin noueux. Jean Palardy décrit dans son livre sur les premiers meubles du Canada français la façon dont ces faïences doivent être exposées. Palardy a non seulement produit une documentation précieuse sur l'ameublement canadien, mais il a, de plus, complété son ouvrage d'illustrations très détaillées des céramiques importées. Bien qu'il soit vrai que, pendant longtemps, les collectionneurs aient erronément prêté une facture canadienne aux faïences Portneuf, ils ne se trompèrent pas en les catalogant Canadiana, puisque la réelle définition de Canadiana couvre des articles tels que la vaisselle Portneuf, dont la fabrication était principalement destinée au marché canadien.

Cet ouvrage a la primeur d'illustrations de "couleurs vivaces" décrites dans nos définitions et qui se retrouvent dans la magnifique gamme de tons employés sur les articles dits Portneuf. Ce sont des couleurs primitives, gaies et vives, peu ou pas ombrées. Ces teintes crues s'assortissaient parfaitement aux décors canadiens où elles étaient utilisées. On peut voir très clairement qu'elles varient dans un choix de rouges, roses, bruns, verts, bleus et jaunes.

La peinture "à l'éponge et au filet" prend quelque peu l'allure d'un terme technique que l'on emploie pour décrire plus de quatre-vingt-dix pour cent des méthodes de décoration des articles Portneuf illustrés ici. La peinture à l'éponge emploie le coeur d'une éponge, qui est bien plus ferme que son enveloppe extérieure. Le motif désiré y était découpé, plongé dans de la couleur et appliqué à la main sur les articles à décorer, avant leur glaçage et mise à feu. Cette méthode de décoration déjà bien connue en Angleterre dès le début du XIXe siècle, connut son apogée dans les poteries d'Écosse dans la deuxième moitié de ce siècle. Par "filet" on désigne les lignes peintes à la main à même la poterie plus généralement trouvées sur les

interior of the items. Some few items which were exported were completely dipped in colour, and some of later date used transfers to record the pattern.

In general there were no maker's marks applied to the Portneuf items and thus of course the tradition quite naturally grew that these items had been made in Canada and not Great Britain. A few marks have been found on some of these items, and these have given the leads which specifically identify the manufacturers of some classes of these ceramics. It was only after 1891, when the McKinley Tariff Act was passed in the United States, that ceramic exporters in Great Britain were forced to apply marks of origin. However many Scottish potteries felt it was unnecessary to use their marks when exporting cheaper wares to Canada. Trade marks were more commonly used on ceramics exported to Canada in the last seventy-five years.

As will be seen from the more detailed description of certain of the identified Portneuf classes, most of this pottery was manufactured between 1840 and 1920, largely by Scottish potteries which existed in and around the ports of Edinburgh and Glasgow and in Fife. As was pointed out in an earlier chapter, it was natural that Scottish potteries should specialize in shipments to the Canadas. While there are some ceramics, bearing a resemblance to the Scottish Portneuf products, manufactured by Staffordshire firms, these establishments, particularly in the latter years, began specializing in higher-quality items including porcelains. The Scottish potteries reached their height of production between 1880 and 1910.

bords des terrines, plats ou assiettes, mais qui en garnissaient parfois tout l'intérieur ou extérieur. Quelques-unes de ces pièces furent entièrement plongées dans la couleur et ce n'est que plus tard que la décalcomanie intervint dans la décoration sur poterie.

La plupart du temps les pièces dites Portneuf ne portaient aucune estampille de fabrication et c'est de ce fait que naquit, tout naturellement la croyance d'une facture canadienne plutôt que britannique. Parfois, un de ces articles était cependant estampillé. Ce sont ces marques qui ont permis de remonter à l'origine de la fabrication de certaines catégories parmi ces céramiques. Ce ne fut qu'après 1891, lorsque la loi tarifaire McKinley fut votée aux États-Unis, que les exportateurs britanniques furent obligés d'estampiller la marque d'origine sur leurs poteries. Les fabricants d'Écosse estimèrent cependant que leur estampille était inutile sur les articles plus grossiers destinés au consommateur canadien. En fait, ce n'est que depuis quelque soixante-quinze ans que les marques de fabrique sont estampillées sur les céramiques exportées au Canada.

La description plus détaillée de certains articles appartenant aux catégories identifiées Portneuf, démontre que la date de fabrication de cette faïence s'étend de 1840 à 1920, en majeure partie en provenance de poteries d'Écosse, installées aux alentours des villes portuaires d'Édimbourg et de Glasgow et à Fife. Il était naturel pour les potiers écossais de se spécialiser comme nous l'avons noté précédemment dans les articles destinés au Canada. Bien que certains potiers dans le Staffordshire aient produit des articles présentant des caractéristiques très similaires à celles des faïences écossaises dites Portneuf, ils se sont spécialisés, par la suite dans la fabrication de faïences plus raffinées et même de porcelaine. En ce qui concerne l'apogée des potiers d'Écosse, on peut la situer entre 1880 et 1910.

Earthenware and pottery from both Scotland and Staffordshire were sent by sailing ships and later by steamers that docked at Quebec City and Montreal and their products were distributed from warehouses by dealers and itinerant peddlers along the banks of the St. Lawrence and later in Upper Canada. The history of this trade is exceptionally well covered by Elizabeth Collard in her book *Nineteenth-Century Pottery and Porcelain in Canada*.

Pickers and collectors found and still find Portneuf items in country homes and in the villages where the Scots and French originally settled. Later most of these items found their way into the hands of antique dealers and the more important collectors. Some of the sponge-decorated wares were sold in the Maritimes and Ontario but certainly the major portion was originally distributed in Lower Canada. Nowadays very little of the Portneuf sponge ware is in the hands of dealers and what items are discovered are usually of the simplest type and well worn. As will be seen from the names of owners of items shown in this volume, a large percentage of the finer pieces is now held in a few collections in Quebec and Ontario. Still there are literally thousands of prized Portneuf items in small collections. With a few exceptions, very little is exhibited in museums.

Les faïences et grès d'Écosse ou du Staffordshire furent transportés vers le Canada dans les cales des voiliers, remplacés par la suite par des bâteaux à vapeur, dont les ports de Québec et de Montréal pouvaient accommoder le tonnage. Leur cargaison prenait ensuite le chemin d'entrepôts où venaient s'approvisionner les distributeurs et marchands ambulants qui visitaient les villages riverains du Saint-Laurent et plus tard, remontèrent le fleuve pour desservir le Haut-Canada. L'historique de ce commerce fit l'objet d'une admirable étude par Elisabeth Collard dans son livre intitulé *Nineteenth-Century Pottery and Porcelain in Canada*.

Des faïences Portneuf sont sans cesse découvertes, par amateurs et collectionneurs, dans les maisons de campagne et dans les villages où les habitants sont de descendance française ou écossaise. Dernièrement cependant, ce ne sont plus que les antiquaires et les collectionneurs les plus réputés qui peuvent encore se procurer ces articles. Certaines des faïences décorées à l'éponge ont été vendues dans les Provinces Maritimes et en Ontario, mais la plupart trouvèrent acquéreur dans le Bas-Canada. De nos jours peu d'antiquaires peuvent se targuer de posséder du Portneuf décoré à l'éponge encore en bon état, parce que les quelques pièces encore en circulation sont d'une facture très simple et portent bien souvent les séquelles d'un usage intensif. La liste des noms de ceux qui possèdent les pièces dont il est fait mention ici, prouve d'ailleurs que la majeure partie des articles les mieux conservés figurent dans les quelques collections importantes du Québec et de l'Ontario. Cependant des milliers de pièces rares Portneuf font partie des trésors d'amateurs d'antiquités. A quelques exceptions près, peu de musées les exposent.

# David Methven's Kirkcaldy Pottery

# La poterie David Methven de Kirkcaldy

The first opportunity I had to identify items in the Portneuf classification of pottery came in 1966 when I purchased seventy-two pieces of the pink Rosette pattern tableware, photograph 36A. This set had been assembled in Quebec by a Toronto collector over a period of many years and is believed to be the largest set of the Rosette pattern in existence. It consists of plates, cups and saucers, serving dishes and platters.

An inspection of the back of these items produced two marks which were so indistinct that they had to be examined under ultraviolet light. There appeared to be an impressed mark on one of the plates which read "Imperial D. M. & Sons" (photo 31). In addition on some of the plates there appeared a small impressed mark which resembled a four-leaf clover with pointed leaves. Unfortunately the marks are so indistinct that they could not be adequately photographed. The "Imperial" mark is con-

C'est en 1966 que, pour la première fois, je pus identifier certains articles des poteries Portneuf, lorsque je fis l'acquisition d'un service à dîner de soixante-douze pièces, à décoration de rosaces roses, représenté dans la photo 36A. Ce service avait été rassemblé à Québec pièce par pièce par un collectionneur de Toronto et passe pour être l'assortiment le plus complet qui soit des faïences à décoration Rosette. Il comporte, assiettes, tasses, soucoupes, légumiers, saladiers et plats à viande.

A l'inspection, le dessous de cette vaisselle portait deux marques, tellement indistinctes qu'elles durent être étudiées sous un éclairage ultra-violet. Une autre marque semblait être gravée sur le dessous d'une des assiettes et aurait pu se lire "Imperial D. M. & Sons" (photo 31). En outre certaines des assiettes portaient une estampe qui ressemblait à un trèfle à quatre feuilles à bouts pointus. Ces signes sont tellement indistincts qu'ils ne se révélèrent malheureusement pas à la photographie. La marque "Impérial" est cen-

tained in a peculiar small oblong which also surrounds the mark "Sultana", item number 4431, page 717 of Godden's *Encyclopedia*. Sultana is a pattern produced by David Methven's Kirkcaldy Scottish pottery. It is interesting to note that the "Sultana" mark occurs on a print in the London, England, Victoria and Albert Museum, dated April 5, 1844.

Later, a similar plate in the Maple Leaf pattern from the J. P. Lemieux collection of Sillery, Quebec, was examined and this also contained the "Imperial" mark. With this lead I wrote George A. Young, Superintendent of City Museums, Huntly House Museum, Edinburgh, Scotland. Mr. Young replied on June 16, 1966: "Your search is at an end. We have two plates with the identical stamp 'Imperial D. M. & Sons' quite clearly impressed. This is indisputably David Methven of Kirkcaldy." As regards the date, Mr. Young wrote on July 11: "The date you mention (1875) as being the possible date of export seems to me to be pretty accurate. The design on the pieces where we found the stamp was not introduced until after 1861, and probably nearer 1870, so 1875 would not be far out."

Mr. Young has supplied the following interesting history of the Methven Kirkcaldy pottery:

*Kirkcaldy Pottery (Linktown): D. Methven*
It could be said that the Scottish Pottery industry began on 8th May, 1714, when William Robertson of Gladney and William Adam, mason (father of

trée dans un petit ovale, qui encadre en même temps le mot "Sultana", article décrit sous le n° 4431, en page 717 de *Encyclopedia* de Godden. Sultana est le nom d'un dessin produit à Kirkcaldy par David Methven sur sa poterie écossaise. Il convient de noter que cette marque "Sultana" est reproduite sur un imprimé datant du 5 avril 1844, exposé au Musée britannique Victoria et Albert à Londres.

Par la suite, à l'examen d'une assiette similaire, à motif Feuille d'érable, appartenant à la collection J. P. Lemieux de Sillery, Québec, la présence de la marque "Impérial" fut également constatée. Fort de cette découverte, je me mis en rapport avec le directeur des musées municipaux, George A. Young au Musée Huntley House à Édimbourg en Écosse qui, dans sa réponse du 16 juin 1966 me confia: "Vous êtes à la fin de vos peines. Nous possédons ici deux assiettes distinctement marquées d'une estampille "Impérial D. M. & Sons" identique à la vôtre. Cela place indiscutablement leur origine dans la poterie David Methven de Kirkcaldy." En ce qui concerne les dates, dans une lettre du 11 juillet, M. Young écrivait: "La date de 1875 mentionnée par vous comme étant la date probable d'exportation semble être parfaitement exacte. Le dessin des pièces sur lesquelles nous avons nous-mêmes trouvé ce cachet ne fut introdui qu'après 1861, plus probablement aux environs de 1870. Par conséquent, 1875 est une date très proche de la vérité."

C'est ainsi que M. Young vint à nous communiquer la très intéressante histoire des poteries Methven Kirkcaldy:

*Poterie Kirkcaldy (Linktown): D. Methven*
On pourrait avancer qu'en Écosse l'industrie de la poterie vit le jour le 8 mai 1714, lorsque William Robertson de Gladney et le maître-maçon William Adam (père des

29   Methven Kirkcaldy plate (Willoughby Collection)
*This is a particularly vivid sponged design.*

29   Assiette Methven de Kirkcaldy (Collection Willoughby)
*Dessin particulièrement vivace, peint à l'éponge.*

30 Methven Kirkcaldy mark on the back of item 29.

30 Marque Kirkcaldy sur le dessous de l'assiette de la photo 29.

Scotland's famous architects, Robert and James), were given the right to dig clay in any part of the Raith Estate in Fife. They started a tile and brick works in Linktown and established a good reputation as makers of pantiles which are still to be found on farm buildings and cottages all over the country.

In 1773 the works were leased to David Methven and three years later they were disponed to Methven by Adam. From 1776 onwards articles other than bricks and tiles were produced, mostly domestic brown earthenware using local clay.

In 1847, David Methven, a grandson, took over the management of the firm. Production now consisted of brown ware dishes, black tea pots, flower pots, chimney cans, gold lustre tea pots, roofing tiles, drain tiles and bricks. Later, clay from Devon and Cornwall was used in the production of good quality white earthenware. The pottery also began to experiment in printed ware with designs such as "Verona", "Mocha" and the famous "Willow" pattern.

In 1864 David Methven died and ownership of the firm passed into his son James' hands. Andrew Ramsay Young, who had been with the firm since 1851, was appointed manager. In 1872 Young entered into partnership with James and thereafter many improvements followed. New kilns were erected, the whole pottery was re-organised for a larger output, and new types of ware were constantly being introduced, among them many with the "Sponge" type of decoration.

fameux architectes écossais Robert et James) reçurent les droits d'exploitation de toute carrière d'argile qui se trouverait à un endroit quelconque sur le domaine Raith à Fife. Ils établirent une briqueterie dans la ville de Linktown où ils fabriquèrent aussi des dalles. Leurs produits acquirent rapidement une excellente réputation, surtout dans les tuiles dont on trouve encore d'excellents exemplaires un peu partout dans les fermes et chalets de campagne du pays.

En 1773, les ateliers furent loués à David Methven, qui les repris entièrement d'Adam trois ans plus tard. Dès 1776, les ateliers consacrèrent une partie de leur production à des articles autres que des briques et des tuiles. Ils lancèrent sur le marché des articles ménagers en terre cuite, faits de terre glaise locale.

En 1847, David Methven, petit-fils du fondateur, repris la gestion de la firme, avec une production générale de vaisselle brune, pots de fleurs, mitres de cheminées, théières noires, théières dorées, tuiles, tuyaux d'égouts et briques. Par la suite, l'argile du Devon et des Cornouailles fut employée pour la fabrication d'une bonne qualité de faïence blanche. A cette époque les potiers commencèrent à sonder le marché pour y lancer leurs nouveautés, comme les motifs "Verona", "Mocha" et les fameux "Willow".

En 1864, à la mort de David Methven, son fils James prit les rennes de la compagnie et la gestion en fut confiée à Andrew Ramsay Young, qui avait fait ses armes dans cette firme, depuis 1851. En 1872 James s'associa avec Young et, de cette association naquirent de nombreuses améliorations. De nouveaux fours furent construits, tous les ateliers de poterie furent réorganisés en vue d'assurer une production plus volumineuse. En outre une attention spéciale fut apportée à la création

In 1887 Andrew Ramsay Young became sole proprietor with his two sons, William and Andrew, as partners, and so ended the Methven connection with the firm which had lasted for well over 100 years. Towards the end of the century the clay pit became exhausted, the brick and tile works were closed, the works pulled down and a new pottery erected on the site.

Andrew Ramsay Young died in 1914 and the pottery struggled on through the war and afterwards against fierce competition from the south and abroad, but finally ceased production about 1930. Thus the history of this pottery is typical of that of most of the Scottish potteries.

It is known that a large percentage of the Kirkcaldy's pottery production was exported to America, particularly Canada. The details of the three famous patterns of tableware which should be called "Kirkcaldy" — the Rosette, Maple Leaf, and Peony patterns — are covered in the following chapter. However, it should be pointed out here that these patterns were also used not only on bowls, plates and other tableware but also on toilet sets and kitchenware.

In addition, the firm produced the well-known Auld Heather Ware.

régulière de nouveaux motifs et méthodes de décoration, parmi lesquels on peut en compter plusieurs par peinture "à l'éponge".

En 1887, la compagnie passa aux mains d'Andrew Ramsay Young qui en devint le propriétaire, en association avec ses deux fils, William et Andrew, mettant ainsi fin au règne des Methven qui dura plus de 100 ans. La carrière d'argile s'épuisa vers la fin du siècle, ce qui entraîna la fermeture de la briqueterie et de la tuilerie. A leur place on construisit une nouvelle usine de poterie.

Après la mort en 1914 d'Andrew Ramsay Young, la poterie lutta tant bien que mal, d'abord pendant les années de guerre et ensuite contre la concurrence acharnée de fabricants du sud et de l'étranger, pour finalement fermer ses portes en 1930. L'histoire de cette poterie, en particulier, illustre le sort qui fut réservé à la plupart des potiers d'Écosse.

Il est reconnu qu'une énorme partie de la production des poteries Kirkcaldy fut exportée vers l'Amérique et plus particulièrement vers le Canada. Le détail des trois motifs de vaisselle réputés qui devraient porter le nom de "Kirkcaldy" — Rosette, Feuille d'érable et Pivoine — est étudié dans le chapitre suivant. Il faudrait néanmoins souligner que ces motifs furent non seulement employés à la décoration de vaisselle et terrines et autres articles de cuisine, mais qu'ils servirent aussi pour la décoration des garnitures de lavabo.

Notons en passant que la vaisselle au motif bien connu Auld Heather (Bruyère de jadis) fut également produite par cette firme.

31  Drawing of Methven "Imperial" mark. Original is about ⅝" long.

31  Dessin de la marque "Impérial" de Methven. L'orignal a près de ⅝" de long.

# Kirkcaldy Rosette, Maple Leaf and Peony Patterns

# Motifs Rosette, Feuille d'érable et Pivoine de Kirkcaldy

ROSETTE

By far the commonest Kirkcaldy pattern found in tableware, toiletware and bowls is the Rosette, sometimes known as Pink Posey. It is easy to see why this simple but distinctive design should have been popular. The rosette is composed of six petals and a rounded pink centre with white in the interior. Perhaps due to the wearing of the surface of the sponge, the centre is often blurred and is solid pink. The petals have a peculiar tooth-like mark on the outside. The most widely used pattern is seen in photograph 32, centre. In addition to the pink rosette, three small green marks, two dots and a cross, are placed in a triangular fashion between the pink rosette flowers.

Below are given the principal variations with the numbers of some photographs illustrating the different patterns.
1. Pink rosette with single green cross interspersed, 34.
2. Pink rosette with green leaf design.

ROSETTE

Le motif de Kirkcaldy le plus communément répandu sur les services à dîner, les garnitures de lavabo ou les terrines de cuisine est sans conteste celui qu'on appelle Rosette ou parfois Posy (Bouquet rose). On comprendra aisément l'engouement pour cette décoration simple mais distinctive. La rosette est faite de six pétales autour d'un cœur circulaire rose à intérieur blanc. L'usure de l'éponge à peindre aidant, ce cœur perd très souvent de sa netteté et il devient alors une simple rosace rose. Le bord des pétales forme une dentelure assez particulière. Le motif le plus employé est certainement celui que montre la photo 32 du centre. Outre la rosette, un triangle formé de trois petits traits verts, deux pois et une croix sépare chaque rosace de fleurs roses.

Les principaux motifs employés sont expliqués ci-dessous, avec le numéro des photos les montrant.
1. Rosette rose entrelacée d'une simple croix verte: 34.
2. Motif de rosette rose à feuille verte.

32 Three Portneuf plates: from left to right, Peony, Rosette and Maple Leaf patterns (Finlayson Collection)

32 Trois assiettes Portneuf: de gauche à droite, les motifs Pivoine, Rosette et Feuille d'érable (Collection Finlayson)

33   Dresser containing bowls and jugs (Finlayson Collection)

*The bowl on the right-hand side on the top shelf shows a seaweed and rosette pattern. It is a particularly rare one. Notice also bowl in the upper left-hand corner, again with an unusual rosette pattern. The two centre bowls in the middle shelf are the Jumbo and brown cow bowls. As noted in the text the rarest items are the purple fleur-de-lis and seashell bowls on the bottom shelf.*

33   Vaisselier contenant bols et cruchons (Collection Finlayson)

*Le bol particulièrement rare se trouvant à droite sur l'étagère du haut est décoré d'un motif d'algues et rosettes. Le bol dans le coin supérieur gauche présente lui aussi un motif peu commun de rosettes. Les deux pièces du centre sont les bols à motif Jumbo et vaches brunes. Comme il en est fait mention dans ce chapitre, les articles les plus rares de tous sont les bols à fleur de lis et coquillages violet vus sur l'étagère du bas.*

34  Rosette bowl and plate (Sharpe Collection)
*The rarest and one of the most beautiful rosette variations.*

34  Bol et assiette Rosette (Collection Sharpe)
*La plus rare et la plus belle parmi les variétés de motifs Rosette.*

35  Rosette variation plate (Sharpe Collection)
Note green squares.

35  Assiette à variante de Rosette (Collection Sharpe)
Remarquez les carrés à côtés verts.

36   Rosette variation bowl (Sharpe Collection)
*One of the most curious variations. Note the pattern has been sponged on the inside rim.*

36   Bol d'une autre variante de Rosette (Collection Sharpe)
*C'est une des variantes les plus curieuses. Vous remarquerez que le motif a été peint à l'éponge sur l'intérieur du bord.*

36A   Part of the Finlayson Rosette Collection

36A   Une partie de la Collection Rosette de Finlayson

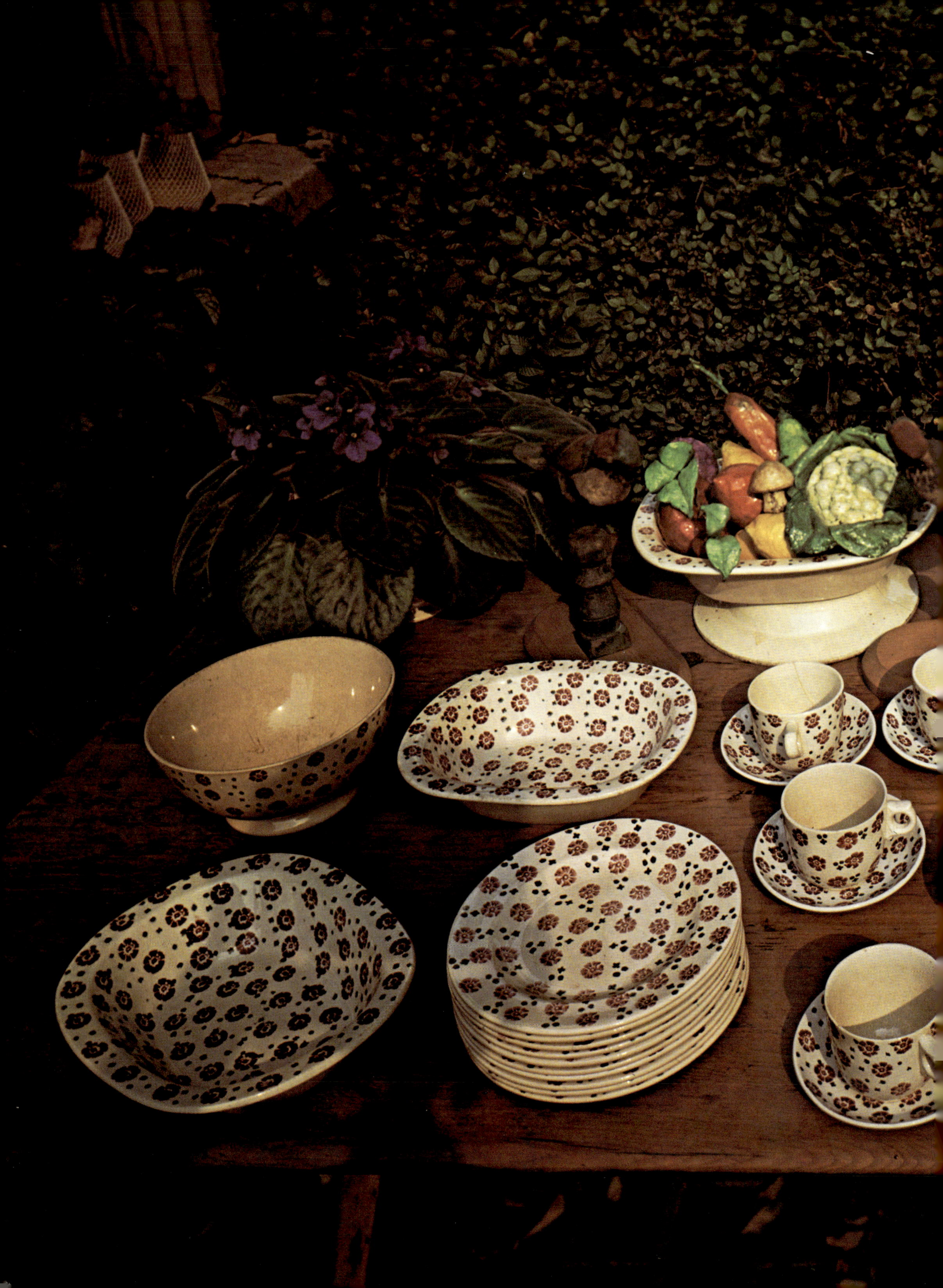

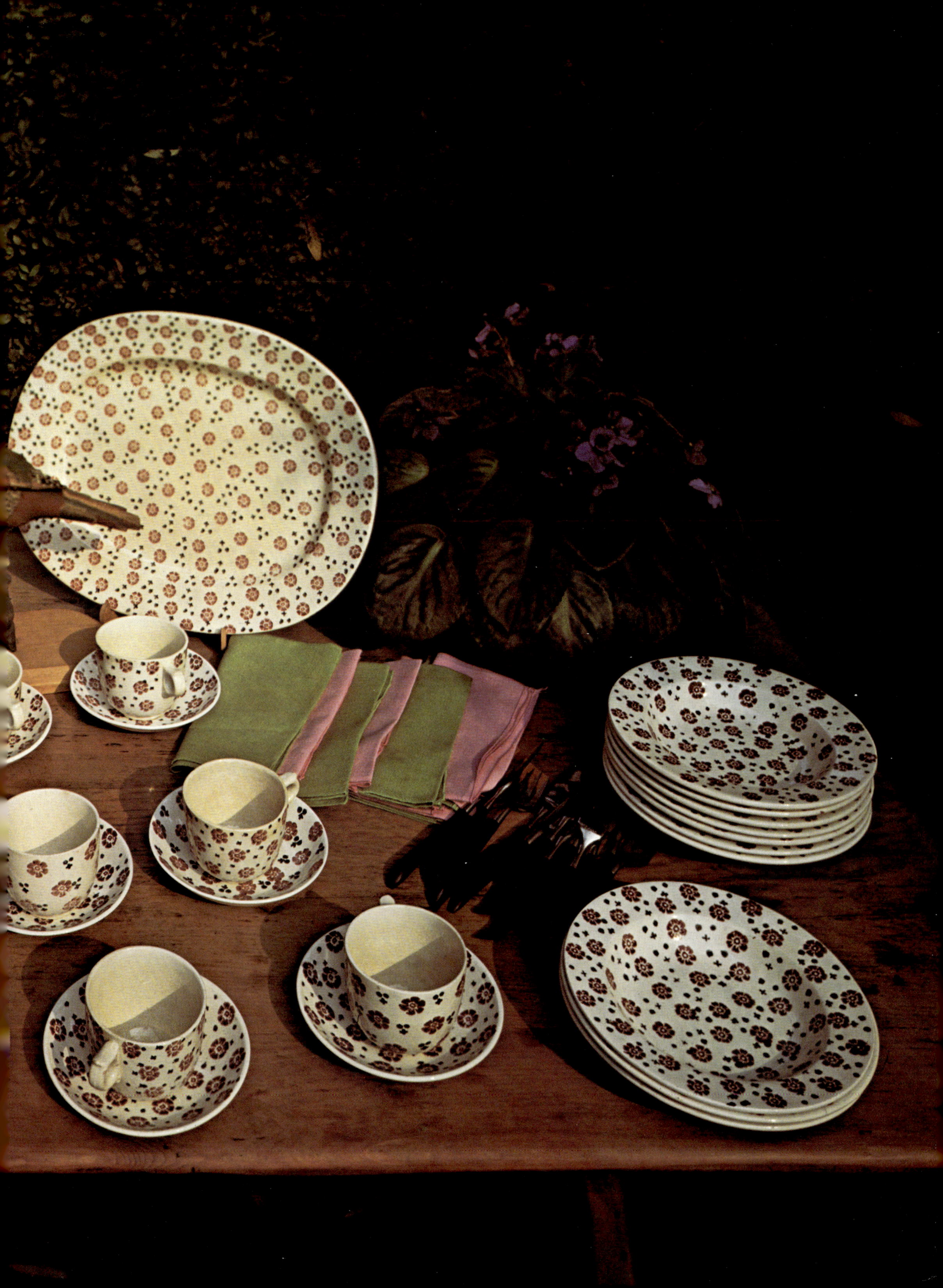

37  Four Maple Leaf plates (Finlayson Collection)
*This photograph illustrates the four different flower designs sponged in the centre of the plates.*

37  Quatre assiettes à motifs Feuille d'érable. (Collection Finlayson)
*Sur cette photo sont représentés les quatre motifs floraux peints à l'éponge dans le creux des assiettes.*

3. A very rare example is shown in photograph 35, pink rosette with four green arrowheads neatly placed in a square.
4. Pink rosette interspersed with three green dots together in a close triangle.
5. Pink rosette with the centre completely white.
6. One of the most interesting rosette variations is a pink rosette with blue instead of green marks. These marks are two dots and a mark that resembles a comma.
7. Among the rarest of the rosette patterns can be seen green rosettes interspersed with red rosettes with a red circle around the outside of the rosette (photograph 36).
8. Perhaps the oddest of the variations is found on a small four-inch-diameter bowl, with blue rosettes and the two blue dots and a blue cross in the triangular shape.

3. La photo 35 montre un exemplaire excessivement rare d'une rosette rose avec quatre flèches vertes très précisément placées en carré.
4. Rosette rose entrelacée de trois pois verts enserrés dans un triangle.
5. Rosette rose à coeur entièrement blanc.
6. Une des plus curieuses variations des rosaces est une rosette rose à entrelacs bleus au lieu de verts. Il s'agit ici d'un motif de deux pois et d'un trait ressemblant à une virgule.
7. Parmi les rosaces les plus rares, figurent cette guirlande de rosettes vertes entrelacées de rosettes roses, entourées d'un cercle rouge (photo 36).
8. Ce petit bol de quatre pouces de diamètre est probablement un échantillon de la plus curieuse des variations de rosaces connues, avec des rosettes bleues, deux pois bleus et une croix bleue présentés en triangle.

38  Winnett dresser showing one of the largest collections of Portneuf pottery, particularly Maple Leaf and Peony patterns. The Maple Leaf with diaper border bowl is a very uncommon item, as are also the Peony cup and saucer shown in the mid-section of the dresser.

38  Vaisselier Winnett sur lequel est présenté une des plus grandes collections de faïence Portneuf, plus particulièrement celle décorée de motifs Feuille d'érable et Pivoine. Le bol à Feuille d'érable bordé d'une guirlande de losanges est un article très rare, comme le sont d'ailleurs la tasse et la soucoupe à motif Pivoine montrés au centre du meuble.

## MAPLE LEAF

The leaf design and diamond border is commonly called the Maple Leaf pattern. Each leaf is sponged with three colours, green, red and brown, and resembles an oak leaf more than a maple leaf. The border is very appealing and not only the rosette but also the diaper border design is used on many of the bowls. In the centre of the plates there is usually a pink hand-drawn circle which often overlaps and shows the freehand form of painting. In this circle four different flower designs are sponged on plates with the same colour. They resemble many of the flower designs sponged on the bowls (photograph 37 and photograph 32, right). One of the odd designs shows a plate without a centre flower, and in one plate the diaper design is used instead of the drawn circle.

## PEONY

The rarest Kirkcaldy Portneuf is called the Peony pattern (photograph 32, left). No maker's marks have been found on the few peony pieces that exist in Canadian collections. However it is easy to identify this as a product of Methven's Kirkcaldy Pottery, as the pink rosette design is used in a combination of the large peony flower and the four green leaves which are interspersed in a rather gaudy manner on the plates. The big peony flower also is sponged on in the centre of the plates. The commonest Peony items found are plates, cups and saucers, and bowls (photograph 38).

## FEUILLE D'ÉRABLE

Le bord garni de feuilles d'érable et de losanges est un motif mieux connu sous le nom Feuille d'érable. Chaque feuille a été appliquée en trois couleurs, rouge, vert et brun, à l'éponge. Elle ressemble plus à une feuille de chêne que d'érable. Ce bord est très attrayant et l'emploi, non seulement de la rosace mais encore de la guirlande de losanges, se retrouve sur la plupart des bols. Le creux des assiettes est généralement garni d'un cercle tracé à la main. Les bouts du filet se chevauchent comme c'est presque toujours le cas des tracés à main levée. Dans le centre du cercle, quatre motifs floraux différents sont peints à l'éponge dans la même couleur que le filet. Ces fleurs rappellent un grand nombre de motifs peints à l'éponge sur les bols (photo 37 et sur la droite de la photo 32). Sur une assiette dépareillée on peut voir qu'aucun motif floral n'occupe le centre du creux, tandis que sur une autre, le filet circulaire a été remplacé par une guirlande de losanges.

## PIVOINE

La plus rare des faïences Portneuf Kirkcaldy est ornée du motif dénommé Pivoine (photo 32, à gauche). Aucune marque de fabrique n'a pu être décelée sur les rares pièces Pivoine trouvées dans les collections canadiennes. Il est cependant facile d'en identifier l'origine avec les poteries Methven Kirkcaldy puisque la rosace rose combine, sur toute l'assiette, une grande pivoine et un entrelac assez criard de quatre feuilles vertes. La grande pivoine est également peinte à l'éponge au coeur du creux des assiettes. C'est surtout sur les tasses, soucoupes, assiettes et bols que se trouvent le plus souvent ces motifs Pivoine (photo 38).

39 Large Peony plate (Finlayson Collection)
*Note peony leaf variation which is related to the Methven plate, item 29.*

39 Grande assiette à motif Pivoine (Collection Finlayson)
*Remarquez la variante dans la feuille de pivoine, ce qui l'apparente à l'assiette Methven, article 29.*

# Portneuf Bowls

While it is easy to identify the Kirkcaldy ware Rosette, Maple Leaf and Peony patterns, we are in a rather gray area identifying which pottery manufactured the various bowls commonly called Portneuf. As none of the commoner bowls bear any maker's marks, we can only draw some general conclusions.

The Rosette bowl and a large number of other bowls were made in the Kirkcaldy pottery. It would be tempting to say that all the better-known bowls using the animal and bird motifs with the green vegetation on the ground level and around the sides of the pattern were made at the Methven Pottery. However, one cannot be completely certain of this attribution. The Thomson Glasgow Pottery, for instance, produced Portneuf-type plates and bowls but we have not yet been able to solve the mystery of the rope

# Bols Portneuf

S'il n'y a aucune difficulté à identifier l'origine de la vaisselle Kirkcaldy dans ses modèles Rosette, Feuille d'érable ou Pivoine, il n'en est pas de même dans le cas des potiers qui ont sorti les diverses faïences appelées Portneuf de leurs ateliers. La plupart de ces bols utilitaires ne portent aucune marque de fabrique et, par conséquent, il n'est possible de tirer que des conclusions d'ordre très général.

Les poteries Kirkcaldy produisirent non seulement les bols Rosette, mais encore une grande variété de bols avec d'autres motifs. Si l'on pouvait simplement attribuer tous les bols à motifs d'animaux et d'oiseaux, sur un fond et un cadre de feuillage vert, aux poteries Methven, nos recherches seraient grandement simplifiées. Mais il est difficile d'avoir une attitude absolument positive à ce sujet. Nous avons par exemple les poteries Thomson de Glasgow, dont les ateliers ont sorti des assiettes et des bols Portneuf, mais nous voguons toujours en plein mystère quant à l'origine des bords torsadés qui

border which is commonly used on many bowls, plates and other objects.

Thus, while we feel certain that many of these bowls were made by Methven in his Kirkcaldy pottery, certain other bowls without flower or animal motifs have been identified through marks as having been made in the Britannia Pottery, and we are also certain that some of these bowls with simpler decorations were made in the Thomson Glasgow Pottery. One bowl has been found with a Staffordshire mark. It has a plain flower motif. While some Staffordshire bowls can be identified as sponge ware, few have been found decorated by this means. Thus it seems safe to say that while this is a gray area most of these so-called Portneuf bowls were made in Scotland, and some of them came from the Kirkcaldy, Britannia and Thomson Potteries.

The bowls vary from a diameter of four inches to twelve inches but the most prevalent diameters are from six inches to ten inches. Where there are exceptionally small or large bowls, the diameter and sometimes the height of the objects are given in the description of plates and other articles, but it is felt unnecessary to add this information to the description in all the photographs.

A whole chapter could be devoted to the fascinating study of the designs used on the borders of these articles, particularly the bowls. Often a single line is drawn, sometimes a wider band. The red diamond border commonly used with the Maple Leaf pattern

furent très communément employés sur un grand nombre d'assiettes, bols et autres objets.

Il est évident donc, même si dans notre for intérieur nous sommes certains que la plupart de ces bols sont l'œuvre de Methven dans ses poteries de Kirkcaldy, que l'origine d'autres bols, sans motifs floraux ou animaliers, remonte aux poteries Britannia, ainsi qu'en font foi leurs marques distinctives. De plus, il ne fait aucun doute dans notre esprit que les bols à décorations plus simples ont été fabriqués dans les ateliers Thomson de Glasgow. La marque de Staffordshire à même été découverte sur un des bols étudiés. Il s'agit d'un motif floral de plein trait. Si le procédé de décoration à l'éponge a effectivement été employé dans les poteries du Staffordshire, un nombre excessivement restreint de pièces peintes de cette façon a été retrouvé. Nous pouvons donc affirmer, sans crainte de nous tromper, et malgré le mystère qui flotte toujours autour de leur origine, que la plupart de ces bols, dénommés Portneuf, ont été fabriqués en Écosse et parmi ceux-là on compte ceux qui sortent des ateliers des potiers de Kirkcaldy, Britannia et Thomson.

Le diamètre des bols varie de quatre à douze pouces, mais les diamètres les plus courants vont de six à dix pouces. Lorsqu'il s'agit de bols particulièrement petits ou grands, leur diamètre et parfois leur profondeur sont donnés pour rendre plus exactement le format de l'objet photographié. Néanmoins ce genre de renseignement n'a pas semblé indispensable pour toutes les descriptions de photos.

Les fascinants sujets d'étude que fournissent les motifs de bordure de ces faïences, surtout ceux des bols, sont assez nombreux pour donner matière à tout un chapitre. Bien souvent ces bordures se présentent comme un simple filet, parfois comme une bande colorée plus large. La bordure de losanges rouges, la plus souvent employée avec le

has been mentioned above. The rope border is often used on the tops of bowls. Similarly, a study could be made of the colours used in decorating the bowls. Where there are particularly interesting borders or colours used to decorate Portneuf, these decorations are mentioned in the description below the photograph.

There are so many common designs used to decorate this sponge ware that it is felt best to supplement the descriptions with a list of the motifs commonly used on the bowls. It should be added that many of the bowls have the same designs sponged in the centre of the bowl as is used on the outside. The following motifs are illustrated in various parts of the book.

motif Feuille d'érable a déjà été mentionnée par ailleurs, tout comme la bordure torsadée qui semble être en faveur pour la décoration du bord des bols. Dans ce même cadre, les couleurs utilisées pour les bols peuvent aussi fournir matière à étude. Partout où un motif intéressant a été retrouvé sur un Portneuf, il est expliqué dans la légende de la photo.

Il existe tellement de motifs communément employés dans la décoration à l'éponge de cette vaisselle, qu'il fut décidé d'en établir une liste pour la description des bols. Il serait peut-être utile de souligner ici que, dans de nombreux cas, le motif à l'éponge qui décore le centre est repris sur les bords extérieurs de la pièce. Les motifs énumérés ci-dessous font l'objet d'illustrations un peu partout dans le livre.

## MOTIFS USED IN BOWLS

**BIRDS**
    Large brown bird on nest
    Large red bird
    Bird on branch
    Bird in a tree
    Blue and brown birds and butterflies
    Brown hawk in wreath
    Brown peacock at gate with butterflies
    Peacock with a red breast
    Brown pigeon
    Various red robins
    Other

**BUTTERFLY**
    Purple
    Green and Brown
    Other

**CHANTICLEERS**
    Coloured chanticleer with green wreath
    Other

## MOTIFS EMPLOYÉS SUR LES BOLS

**OISEAUX**
    Grand oiseau brun au nid
    Grand oiseau rouge
    Oiseau sur une branche
    Oiseau dans un arbre
    Oiseau bruns et bleus avec papillons
    Faucon brun dans une couronne
    Paon brun entouré de papillons dans portillon
    Paon à gorge rouge
    Pigeon brun
    Divers rouges-gorges
    Autres

**PAPILLON**
    Violet
    Vert et brun
    Autre

**CHANTECLER**
    Coq de couleurs dans couronne verte
    Autre

CHERRY
    Red

COW
    Brown

DEER
    Brown

DOG
    Brown

ELEPHANT (JUMBO)
    Brown

FANS
    Pink
    With blue flowers

FERN
    Brown

FLAGS
    Red and blue crossed

FLEUR-DE-LIS
    Purple plumes

FLOWER BASKET
    Brown

FLOWER POT
    Various colours

FLOWERS
    Various colours, usually pink, red, green or purple

GOAT
    Brown

GRAPES
    Blue

GRECIAN VASE
    Purple

HEN
    Brown

MOOSE
    Brown, surrounded by gray horseshoe

CERISE
    Rouge

VACHE
    Brune

CERF
    Brun

CHIEN
    Brun

ELÉPHANT (JUMBO)
    Brun

EVENTAILS
    Rose
    à fleurs bleues

FOUGÈRE
    Brune

DRAPEAUX
    A croix rouge et bleu

FLEUR-DE-LIS
    Plumes pourpres

PANIER À FLEURS
    Brun

POT À FLEURS
    Diverses couleurs

FLEURS
    Diverses couleurs, habituellement roses, rouges, vertes ou violettes

CHÈVRE
    Brune

RAISINS
    Bleus

VASE GREC
    Violet

POULE
    Brune

ORIGNAL
    Brun entouré de fers à cheval

**PLUM**
  Purple

**RABBIT**
  Brown

**SCOTCH THISTLE**
  Red, gray and brown

**SEAWEED**
  Green

**SHIP**
  Yellow

**SWAN**
  On fan

**PRUNE**
  Violette

**LAPIN**
  Brun

**CHARDON ÉCOSSAIS**
  Rouge, vert et brun

**ALGUE**
  Verte

**BATEAU**
  Jaune

**CYGNE**
  En éventail

# The Jumbo Bowl

# Le Bol Jumbo

The most publicized elephant of all time was Jumbo. He was the first African elephant purchased by the London Zoo from Paris in 1865. He rapidly grew to a weight of six and a half tons and became one of the most popular animals in the zoo. Later, he developed a penchant for trouble and had to be kept under close guard. As a result the zoo superintendent decided to sell him to the American showman, P. T. Barnum, for the sum of £2,000. When the *Times* published this information in 1882 a fantastic uproar ensued and an injunction was obtained to prevent the zoo from selling the elephant. However, finally Barnum obtained the animal after a most humorous and high-pitched publicity campaign. Before he was shipped to America in 1882, Jumbo was given a going away party with hundreds of

De tous temps, l'éléphant le plus souvent reproduit fut certainement Jumbo. Sa légende a pris naissance avec l'acquisition à Paris en 1865 par le Zoo de Londres, d'un éléphant africain qui ne tarda pas à devenir une masse de six tonnes et demie, très vite populaire auprès des visiteurs du zoo. Il avait malheureusement peu de penchants paisibles. Comme, pour éviter les ennuis, il fallait le tenir sous surveillance constante, le directeur du jardin zoologique décida de le vendre, pour 2,000 livres, au fameux montreur américain P. T. Barnum. Lorsque cette nouvelle passa dans le *Times* ce fut une levée générale des boucliers. La pression de l'opinion publique fut telle, qu'un arrêt mit opposition à cette vente. A la fin, cependant, Barnum obtint l'éléphant après une tapageuse campagne publicitaire, pleine d'humour, dont il avait le secret. Avant son départ pour l'Amérique, en 1882, Jumbo fut honoré par un dîner d'adieu où il reçut des centaines de brioches. Un de ses admirateurs offrit même des huîtres et sabla le champagne. Le succès rencontré par Jumbo auprès des Américains ne

40   Jumbo bowl. (Finlayson Collection)   40   Bol Jumbo (Collection Finlayson)

41   Engraving, Jumbo at Victoria skating rink, Montreal.   41   Gravure, Jumbo à la patinoire Victoria de Montréal

buns and one admirer even produced champagne and oysters. The Americans appreciated Jumbo as much as the British had.

Unfortunately, Jumbo came to an untimely end when he was struck by a train on September 15, 1885, at St. Thomas, Ontario. He died in the head-on collision; a locomotive and two cars were smashed and derailed and the engineer killed. Jumbo's stuffed body was sent to Tuft's College in Boston and his skeleton is in New York at the American Museum of Natural History.

The Jumbo fever that overtook England during these episodes can hardly be believed. This story is completely covered in Richard Carrington's fine book *Elephants*, which reproduces the front page of one of the ditties of the day, "Why Part with Jumbo, the Pet of the Zoo?"

The story of Jumbo will never die. Since I wrote the preceding paragraph, three items of interest have appeared on the subject. In the Toronto *Globe and Mail*, January 14, 1971, Bruce West had an interesting article on the history of this elephant. Shortly after, a television short was seen on the same subject, and Macy's in New York City ran an advertisement on P. T. Barnum's circus with an illustration showing "1882 Jumbo, the largest elephant in captivity . . . 13,000 pounds of him!"

The word "Jumbo" itself, according to the Oxford Dictionary, probably originated from the name of a West African god, Mumbo Jumbo. This deity was supposed to be large and ferocious. The word crept into the English language about 1823. Following the publicity Jumbo received on two continents, the word sprang into more general usage, such as jumbo peanuts and lately the jumbo jets. The motif of Jumbo was used in various ceramics and on glass objects.

le céda en rien à l'engouement que lui avaient réservé les Anglais. Le pauvre Jumbo connut malheureusement une fin prématurée le 15 septembre 1885, lorsque, à Saint-Thomas, dans l'Ontario, il heurta, de plein fouet, un train en mouvement. Le machiniste fut tué sur le coup, la locomotive et deux wagons déraillèrent et furent détruits, Jumbo fut empaillé et envoyé au Tuft's College à Boston et son squelette est exposé au musée d'histoire naturelle de New-York.

La folie Jumbo qui s'empara des Anglais durant cette suite d'événements est presque incroyable. Le sujet a été couvert dans l'excellent ouvrage *Elephants* écrit par Richard Carrington, qui reproduit en première page, une des rengaines de l'époque "Pourquoi se séparer de Jumbo, l'enfant chéri du Zoo?".

La légende de Jumbo n'est pas près de disparaître! En effet, même pendant que j'écrivais le paragraphe précédent, trois choses intéressantes à ce sujet, eurent lieu. Dans le numéro du 14 janvier 1971 du *Globe and Mail*, quotidien de Toronto, Bruce West écrivait un article très bien documenté sur l'histoire de Jumbo. Peu de temps après, la télévision projetait un petit documentaire de très court métrage sur Jumbo, tandis que Macy de New-York faisait paraître une annonce sur le cirque P. T. Barnum, avec illustration montrant "Jumbo 1882, le plus grand éléphant en captivité . . . une masse de 13,000 livres!"

Selon le dictionnaire Oxford, le mot "Jumbo" aurait trouvé son origine dans le terme Mumbo Jumbo, qui en Afrique Occidentale désigne un dieu qui avait la réputation d'être aussi féroce qu'énorme. Le mot s'était insidieusement installé dans le vocabulaire anglais aux environs de 1823 et son usage prit un nouvel essor avec la publicité que deux continents firent à Jumbo l'éléphant. Il devint même tout à fait courant si l'on se réfère aux cacahuètes "Jumbo" et plus récemment encore aux avions "Jumbo Jets".

Photograph 40 shows perhaps the most famous Portneuf bowl, Jumbo, from the Mrs. Harold E. Sharpe collection. This is an important bowl for many reasons; not only does it suggest the date of manufacture during Jumbo's popularity between 1882 and 1885, but also the bowl itself contains the word "Jumbo". This is the only lettering shown on any Portneuf-type bowl that has been found in this country. It must be remembered that no maker's marks have been found on any of the Portneuf bowls of the Jumbo style. Thus the importance of the name. The brown of the elephant is the same muddy brown colour used in most of the animals shown on Portneuf bowls, including deer, rabbits, and cows. This can be seen from the illustrations included in this chapter. In addition, the elephant is supported by the typical green grass design used commonly as a base for animals in the design of the bowls. This peculiar greenery is normally shown supporting animals in a semicircular pattern under the animal but in the case of the Jumbo bowl the green base extends across the bottom of the figure.

Photograph 41 was discovered by Miss Norma Lee of Sillery, Quebec, and sent to me. It shows Jumbo at the Victoria Skating Rink. This illustration appeared in *Bishop's Winter Carnival Illustrated* of February 1884, on page 9. It illustrates the masquerade held in the rink which at that time existed in the City of Montreal. Jumbo must have been on one of his Canadian trips and it is interesting to note that the masquerade took place just one year before his death in St. Thomas in 1885.

Le motif Jumbo fut très employé pour la décoration d'articles de céramique et de verre.

Dans la photo 40 vous pouvez admirer le bol Jumbo, le plus célèbre peut-être dans la classe Portneuf, dont s'enrichit la collection de Mme Harold E. Sharpe. Plusieurs choses déterminent l'importance de ce bol. Il suggère non seulement la date de sa fabrication, entre 1882 et 1885, époque où l'engouement Jumbo était à son apogée, mais il est encore marqué du mot "Jumbo". Or, c'est le seul cas connu dans le pays, où un bol dans la classe Portneuf porte un nom en toutes lettres, compte-tenu qu'aucune marque de fabrique n'a été retrouvée sur aucun des bols Portneuf du modèle Jumbo. Par ce fait seul, le nom revêt une importance certaine. La teinte brune de l'éléphant rappelle le brun sale employé pour la plupart des décorations animalières des bols Portneuf, parmi lesquelles on compte des cerfs, des lapins et des vaches. Cette caractéristique se remarque d'ailleurs dans la photo qui illustre ce chapitre. L'éléphant est en outre disposé dans un cadre typique d'herbe verte, qui sert en général d'arrière-plan dans les reproductions des animaux sur les bols. Cette verdure entoure habituellement les animaux sur un fond semi-circulaire. Dans le cas du bol Jumbo néanmoins, la verdure s'étend sur tout le bas de la gravure.

Mme Norma Lee de Sillery, dans le Québec, découvrit et m'envoya la photo 41, qui représente Jumbo sur la patinoire Victoria. Cette gravure parut en février 1884, à la page 9 de l'illustré *Bishop's Winter Carnival Illustrated* et représente un bal masqué, organisé à la patinoire qui existait à Montréal à cette époque. Ce bal coïncidait avec une des tournées canadiennes dont Jumbo faisait partie et qui eut lieu, fait à noter, un an exactement avant sa mort à Saint-Thomas en 1885.

42   Portneuf bowls (Sharpe Collection)

*These animal bowls are quite rare, particularly the brown rooster in the lower right corner. The rarest bowl is the second from the right on the bottom row. This is the yellow sailboat bowl and only two of these bowls are known. Note the sailor whose body appears between the two sails.*

42   Bols Portneuf (Collection Sharpe)

*Ces bols à motif animalier sont assez rares, surtout dans la série du coq brun, dans le coin inférieur droit. Le bol le plus rare de tous est, de gauche à droite, le troisième de la rangée du bas. Il s'agit du bol à voilier jaune dont deux spécimens seulement sont connus. Remarquez la silhouette du marin entre les deux voiles.*

43  Bird bowls (Sharpe Collection)

*The photograph shows eight Portneuf bowls. Note the variation in the border design, particularly the rope pattern on the robin bowl, lower left.*

43  Bols décorés d'oiseaux (Collection Sharpe)

*Dans les huit bols Portneuf représentés sur la photo il faut noter les variantes dans la décoration des bords, surtout le motif torsadé du bol représentant un rouge-gorge, en bas à gauche.*

44  Bird bowls (Sharpe Collection)
Two of the most fascinating bowls in this photograph are the hawk, second from the left on the top row, and the swan in the fan, second from the right in the bottom.

44  Bols à motifs d'oiseaux (Collection Sharpe)
Parmi les plus fascinants des bols sur cette photo on compte le faucon, deuxième à gauche dans la rangée du haut, et le cygne dans l'éventail qui est le deuxième à droite dans la rangée du bas.

45  Fireside cupboard (Culver Collection)
*The photograph illustrates some of the treasures from one of the largest Murray Bay collections. In the second row from the top the large serving platter with the bird design and the large bird bowl are both very rare pieces. The marmalade jar with the maple leaf design in the fourth row from the bottom and the cross flag bowl on the third row from the bottom should be noted.*

45  Armoire coin-de-feu (Collection Culver)
*Sur cette photo figurent certains trésors de l'une des plus importantes collections de Murray Bay. Dans la deuxième rangée du haut, deux pièces excessivement rates, le grand plat et le grand bol à motifs d'oiseaux. Le pot à confiture, décoré d'un motif à feuille d'érable dans la quatrième rangée du bas, tout comme le bol décoré d'un drapeau à croix sur la troisième rangée depuis le bas méritent une attention spéciale.*

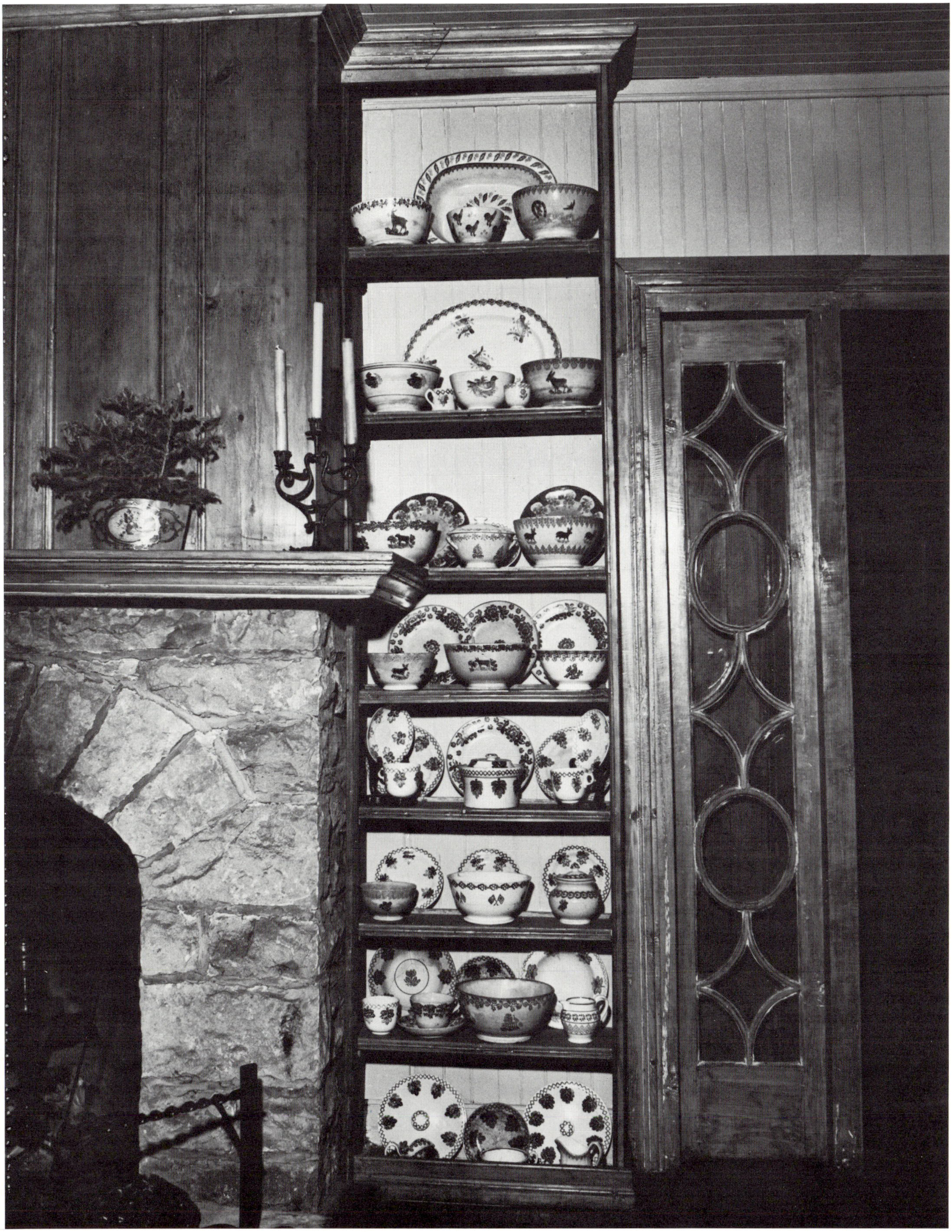

46   Fan and Chanticleer bowls (McConnell Collection)
*Both are interesting items in the Portneuf series.*

46   Bols à Éventail et à Chantecler (Collection McConnell)
*Tous deux sont intéressants articles des séries Portneuf.*

47  Two flag bowls (Bloom Collection)
*It has been suggested that one flag is British and the other American but the design is not clear enough to identify. Note the contrasting borders.*

47  Deux bols à drapeaux (Collection Bloom)
*L'un des drapeaux serait britannique, l'autre américain. Il est cependant difficile d'être affirmatif, vu le manque de netteté du motif. Remarquez les bords contrastants.*

48  Chanticleer and flower bowls (Burger Collection)
*One of the most interesting of the many Chanticleer bowls. Note the rosette design separating the chanticleers.*

48  Bols Chantecler et fleurs (Collection Burger)
*Un des plus intéressants parmi les bols Chantecler. Remarquez le motif rosette séparant les coqs.*

49  Three Portneuf bowls (Burger Collection)

*The bowl on the left is the Peony design. In the centre is the largest known Chanticleer bowl. It is of the same design as the one in photo 46, but the latter is slightly smaller.*

49  Trois bols Portneuf (Collection Burger)

*Le bol de gauche est décoré du motif Pivoine, celui de centre est le plus grand qui soit connu dans la série Chantecler et son motif est le même que celui sur le bol plus petit de la photo 46.*

50  Hawk bowl (Gagné Collection)

50  Bol à faucon (Collection Gagné)

51  Bowl — Swan in fan (Gagné Collection)

51  Bol — Cygne dans éventail (Collection Gagné)

52   Flower bowl (Sharpe Collection)
*This bowl has been reproduced to show the unusual black sponged border.*

52   Bol à fleur (Collection Sharpe)
*Ce bol a été choisi ici à cause de sa bordure noire, peinte à l'éponge.*

# John Thomson's Annfield Pottery, Glasgow, and The Mystery of the Rope Border

# Les poteries Annfield de John Thomson à Glasgow et le mystère de la bordure torsadée

One of the pleasant surprises that come to anyone investigating early Canadiana pottery is to discover a maker's mark. This happened when I was examining the collection of Mrs. R. O'Hara of St. Mary's, Ontario. On a plate was impressed the mark shown in photograph 55, "John Thomson Granite". A search of the Godden and Fleming publications showed no such mark. The most likely attribution is John Thomson's Annfield Pottery, Glasgow, Scotland. The pottery is discussed by G. A. Godden in *Encyclopedia of British Pottery and Porcelain Marks* on page 616. It existed between 1816 and 1884. J. A. Fleming in *Scottish Pottery*, pages 146 to 147, states that it had a tremendous export business, chiefly to Australia.

In a letter dated September 30, 1967, Mr. Godden says, "I think your mark must relate

La découverte d'une marque de fabrique est toujours une surprise bien agréable pour quiconque est plongé dans l'étude de poteries anciennes Canadiana. C'est ce qui m'arriva lorsque j'examinai la collection de Madame R. O'Hara de St. Mary en Ontario. Une des assiettes portait la marque "John Thomson Granite" de la photo 55. Or les ouvrages écrits par Godden et Fleming ne mentionnent nulle part une marque de ce genre, mais il semble que l'on peut fort plausiblement l'attribuer à John Thomson dans sa poterie Annfield à Glasgow en Écosse. L'étude des produits de ce potier a été faite par G. A. Godden ainsi qu'il en fait mention à la page 616 de *Encyclopedia of British Pottery and Porcelain Marks*. Les faïences sortant de cet atelier furent produites entre 1816 et 1884 et, selon les commentaires faits par J. A. Fleming aux pages 146 à 147 de son ouvrage *Scottish Pottery*, elles firent l'objet d'une très florissante exportation, surtout vers l'Australie.

Dans une lettre du 30 septembre 1967, M. Godden écrivait: "Je crois que la marque

53  Two plates and a bowl (Finlayson Collection)
*All items show the rope pattern border.*

53  Deux assiettes et un bol (Collection Finlayson)
*Chacun de ces articles est orné d'une bordure torsadée.*

54  Three Portneuf mugs (Finlayson Collection)
*Note mugs on each side have rope border. The deer mug was purchased in Scotland.*

54  Trois chopes Portneuf (Collection Finlayson)
*Les chopes sont décorés sur les côtés d'une bordure torsadée. La chope à motif de cerf fut achetée en Écosse.*

55  Mark of John Thomson, Glasgow.

55  Marque de John Thomson de Glasgow.

to the John Thomson, Annfield, Pottery. The marks I have seen have been printed marks —one would not expect a printed mark on inexpensive granite ware." Mr. George Young, who has been referred to previously, says, "The way of spelling the name Thomson is the usual Scottish style—I think it might be Scottish." Mr. Arnold R. Mountford, Director of the City Museum, Hanley, Stoke-on-Trent, writes, "I should be quite happy to accept this as the work of John Thomson of the Annfield Pottery, Glasgow, particularly with the word 'Granite' incorporated into the back stamp."

If we tentatively accept this identification, it is tempting to relate Mrs. O'Hara's plate with a group of ceramics decorated with the "rope design". Two of these items are the Fleur-de-lis bowl (photograph 53) and two other plates, both of which are unmarked. In addition, the band drawn around the rope

dont vous faites mention se rapporte aux ateliers Annfield du potier John Thomson. Les marques que j'ai vues jusqu'à présent étaient des estampilles—on ne s'attend pas, en général, à trouver une estampille sur un grès bon marché." M. George Young, que nous vous avons déjà mentionné, nous confie pour sa part: "La façon dont est écrit le nom Thomson correspond à l'orthographe écossaise de ce nom—et tout porte à croire qu'il s'agit bien d'un patronyme écossais." De son côté M. Arnold R. Mountford, conservateur du musée municipal Hanley à Stoke-on-Trent, écrit: "Je crois pouvoir en toute conscience attribuer cette faïence à John Thomson des poteries Annfield à Glasgow, surtout si l'on tient compte du mot 'Granite' [grès] intégré à l'estampille."

Si nous acceptons cette identification comme acquise, il est tentant d'apparenter l'assiette de Mme O'Hara avec un groupe de céramiques décorées "d'un motif torsadé". Parmi ces articles figurent le bol "Fleur de lis" montré dans la photo 53 et deux autres assiettes, celles-là, non marquées. De plus le filet dessiné sur les bords de la torsade et

**56  J. S. Mayer pottery barrel**
*Here also, note the rope design.*

**56  Tonnelet de céramique J. S. Mayer.**
*Une fois de plus, on retrouve le motif torsadé.*

edge and in the centre of these plates is of a peculiar light mustard yellow which is similar to the colour used in various bowls and other Portneuf items. Throughout this chapter other illustrations will be found of pottery incorporating the rope border. This pattern is distinctly Scottish and not in common use in Staffordshire products. Perhaps the rope design was used in Thomson's Annfield Pottery and also in that of the Methven Kirkcaldy Pottery. Photograph 54 shows three mugs, two of which use this distinguishing rope design border. The

dans le centre de ces assiettes est de cette même teinte jaune moutarde, reprise dans les couleurs employées sur de nombreux bols et faïences Portneuf. D'autres illustrations tout au long de ce chapitre seront consacrées à des pièces avec bordure torsadée. Ce dessin est nettement écossais et les produits du Staffordshire n'en étaient généralement pas décorés. Il est possible que ce soient les poteries Annfield de Thomson et Methven à Kirkcaldy qui aient adopté la torsade pour leurs faïences. La photo 54 montre trois gobelets, dont deux sont bordés de ces

57   Two serving platters and a bowl (Sharpe Collection)
*These large platters are unique.*

57   Deux plats et un bol (Collection Sharpe).
*Ces grands plates sont les seuls connus.*

58  Cover for slop container, Rosette design (Sharpe Collection)

58  Couvercle pour récipient des eaux usées, motif Rosette (Collection Sharpe)

59   Two bowls and a basin (Sharpe Collection)

*The purple colour used in these three items is typically Portneuf and also the yellow colour border on the chequered bowl in the lower right.*

59   Deux bols et un bassin (Collection Sharpe)

*La teinte violette de ces trois articles est une caractéristique typiquement Portneuf, tout comme le bord jaune du bol à carreaux dans le bas à droite.*

60  Large basin and jug (Bloom Collection)     60  Grand bassin et broc (Collection Bloom)

sponged flower and deer designs are of course commonly seen in other bowls and Portneuf products. It is interesting to note that the flower mug in the centre was purchased in the Chelsea Shop in Toronto. The owner of the shop had bought the bowl in Scotland. The other two mugs were borrowed from well-known Montreal collectors who acquired them in the Province of Quebec.

Photograph 56 shows a small ceramic barrel which is approximately five and one-half inches high and was presumed to contain preserves or tobacco when it was shipped from Scotland to Quebec. It is now in the collection of Mrs. Agnes B. Clement of Barnston, Quebec. The photograph shows on the right the wording on the bottom of the barrel; the date 1887 suggests the period when

torsades distinctives. Les motifs floraux et de cerfs, peints à l'éponge se retrouvent plus communément sur d'autres bols et articles dits Portneuf. Il est en outre intéressant de noter que le gobelet à fleur, au centre, a été acheté à Toronto, au Chelsea Shop, et ramené d'Écosse par le propriétaire. Les deux autres gobelets furent empruntés à des collectionneurs montréalais bien connus qui les ont eux-mêmes achetés dans le Québec.

La photo 56 représente un tonnelet de faïence d'environ cinq pouces et demi de haut. C'est dans ce genre de récipient que des conserves ou du tabac étaient envoyés d'Écosse au Québec. Ce tonnelet fait maintenant partie de la collection de Mme Agnes B. Clement de Barnston dans le Québec. La photo montre, à droite, le détail de l'inscription estampillée au-dessus du tonnelet. Le

61  Two Maple Leaf pattern pitchers (Bloom Collection)
*Note the use of the red diaper pattern, particularly on the handle of the pitcher.*

61  Deux cruchons à motif Feuille d'érable (Collection Bloom)
*Remarquez la présence d'un bord à triangles rouges, surtout sur la poignée du cruchon.*

62  Bowl and pitcher (Bloom Collection)

62  Bol et cruchon (Collection Bloom)

63  Two Bow Knot bowls (Finlayson Collection)
*Undoubtedly a later manufacture but presumably from a Scottish pottery.*

63  Deux bols à Nœud à coques (Collection Finlayson)
*Poteries probablement d'Écosse et de fabrication sans nul doute plus récente.*

it may have been manufactured and exported to Canada. The patented "process" refers to the slots on the top of the barrel which hold the lid tight. While searches have been made in Scotland and England, no records can be found of this patent. I hoped to discover the place where Mr. J. S. Mayer (whose name appeared on the barrel) lived, or perhaps even the pottery which manufactured the barrel. The name Mayer is a very common one in the potteries of both Staffordshire and Scotland but the initials "J. S." do not appear in any lists of well-known potters.

Could this J. S. Mayer have been associated with the John Thomson Annfield Pottery? Perhaps his process was used in the Thomson Pottery. It is likely that the true explanation of this perplexing puzzle will never be known.

millésime 1887 suggère l'année de fabrication de cette pièce et de son exportation au Canada. Le "procédé" breveté se rapporte aux rainures dans le haut du tonnelet, qui servent à maintenir fermement le couvercle fermé. Bien que des recherches aient été faites tant en Écosse qu'en Angleterre, aucune trace de ce brevet n'a été trouvée. J'avais espéré pouvoir découvrir d'où venait ce M. J. S. Mayer (dont le nom figure sur le tonnelet) ou peut-être même le nom des ateliers qui ont produit ce tonnelet, puisque Mayer est un nom assez souvent retrouvé parmi les potiers autant en Écosse que dans le Staffordshire, mais les initiales "J. S." ne correspondent à aucun des Mayer nommés dans la liste des potiers réputés.

Ce J. S. Mayer fut-il associé à la fabrication des poteries Thomson-Annfield? Peut-être les poteries Thomson eurent-elles l'exclusivité de ce procédé breveté? Toutes les hypothèses sont possibles, parce qu'il est peu probable que ce mystère soit jamais éclairci.

# PART IV
## CANADIAN SPORTS SERIES

# IVe PARTIE
## SÉRIE DES SPORTS CANADIENS

64  Moustached snowshoe man jug in vivid colours (Finlayson Collection)

64  Promeneur moustachu sur raquettes broc de couleurs vives (Collection Finlayson)

J. Arnold Fleming states in his fascinating *Scottish Pottery* that Canada in the last half of the nineteenth century was considered a rich and developing country. Thus it was natural that it should attract a large number of Scottish immigrants. Trade followed and the Scottish potteries, which in the main had specialized in cottage pottery, sent their peddlers up and down the banks of the St. Lawrence and into Ontario.

Perhaps the most picturesque, and certainly the most unusual, of the ceramic wares that were sold were the Canadian Sports series. Photographs 64 to 71 show the twelve transfers used in this series. Naturally the artist picked representative Canadian sports and those that could be practised in

Dans son captivant ouvrage *Scottish Pottery*, J. Arnold Fleming affirme que dans la deuxième moitié du XIX$^e$ siècle, le Canada avait la réputation d'être un pays riche, en plein développement. Il ne faut donc pas s'étonner qu'un grand nombre d'émigrants écossais en aient fait leur lieu de prédilection. Ils entraînèrent avec eux l'industrie et les poteries d'Écosse, qui, pour la plupart, comprenaient les articles fabriqués en chambre par des potiers indépendants. Ils dépêchèrent leurs colporteurs en amont et en aval des rives du Saint-Laurent et même jusqu'en Ontario.

De toute la vaisselle de faïence ainsi exportée, la plus pittoresque, sinon la plus inhabituelle, est certainement celle qui est décorée de la série des Sports canadiens. Douze des décalcomanies employées à la décoration des pièces de cette série font l'objet des photos 64 à 71. L'artiste dut forcément choisir des sujets s'identifiant spécifiquement aux sports pratiqués au Canada et à ceux qui trouvèrent la faveur des canadiens

65 A woman tobogganer (Sharpe Collection)     65 Femme sur luge (Collection Sharpe)

the long winter season. Two of the most indigenous sports were lacrosse, often performed on the ice, and snowshoeing; but naturally, skaters, tobogganers and sleigh riders had to be included.

No one seems to know who originally drew the scenes which were transferred to the pottery. In this connection a student of this pottery refers to a sketch-book of "L. R." but the identity of this artist has not been established. Certainly he had a fine sense of humour, as witness the woman tobogganer who nonchalantly stands upright on her toboggan while swiftly descending a steep hill. Also look at the gyrations of the four skaters, and the snowshoers caught in the barbed-wire fence. During these hazardous times it would take a sympathetic artist to portray such scenes.

Only recently was the author able to pinpoint, with the help of Mr. George A. Young, Superintendent of City Museums in Edinburgh, the pottery which produced these objects. Photograph 72 shows the garter mark which is found on the back of the large platter from the de Volpi collection. The problem, of course was to find the identity of "J. M. & Co." pottery. Here the Godden *Encyclopedia* (page 414, mark 2509) was of real value, but no identical mark was found in that book.

Earlier students of the series have mentioned that the manufacturer was Joseph Mayer of Burslem, Staffordshire. After it was proved that much of this transfer ware had come from Scotland, the name of James Miller of Glasgow was considered a possibility.

pendant leur long hiver. Les deux sports qui jouissaient de l'engouement général, furent, sans conteste, la crosse, souvent pratiquée sur glace, et la marche sur raquettes; mais ni les patineurs ni les adeptes de la luge et du traîneau ne pouvaient en être oubliés pour autant.

Personne ne semble connaître l'artiste auquel revient la paternité des décalcomanies ayant servi à la décoration des poteries de cette série. A ce sujet, un étudiant spécialisé en poteries, fait mention d'un carnet de croquis ayant appartenu à "L. R." dont l'identité n'a cependant pu être établie. Cet artiste devait avoir un sens de l'humour assez caustique pour avoir dessiné une femme, à l'allure nonchalente, debout sur une luge engagée dans la descente rapide d'une côte assez raide! Observez aussi les pirouettes accomplies par quatre patineurs, et le fatras de raquettes et fil de fer barbelé dans lequel sont pris ces coureurs des neiges! En ces temps pleins de risques, il fallait un artiste spirituel pour capter l'ironie de ces scènes.

Ce n'est que tout récemment que l'auteur, avec l'aide de M. George A. Young, Directeur des musées de la ville d'Edimbourg, put définir qui fut le potier auquel on doit ces faïences. La photo 72 montre l'estampille de l'écusson trouvé au dos d'un grand plat de la collection de Volpi. Le problème fut évidemment de trouver à quel nom appartenaient les initiales "J. M. & Co.". C'est ici que l'encyclopédie Godden (page 414, marque 2509, *Encyclopedia*) nous fut d'un grand secours, bien qu'aucune marque identique à celle que nous recherchions n'y fut trouvée.

Ceux qui avaient, avant nous, étudié cette série, étaient arrivés à la conclusion que le fabricant en était Joseph Mayer de Burslem dans le Staffordshire. Il fut prouvé par la suite que la plus grande partie des faïences décorées de ces décalcomanies avaient été exportées d'Écosse et, à ce moment-là, le nom James Miller de Glasgow avait été re-

A small maker's mark has been copied from one of the plates of the series, which cannot be reproduced, and has been authenticated by Mr. Young as coming from John Marshall & Co. This pottery operated from 1854 to 1899 at Bo'ness, Scotland. The site has since been cleared and there is no hope of new information being obtained. In fact very few of the Bo'ness pieces can be found in Scotland. Obviously most of the pottery produced was exported. One could make a more accurate dating and say that the Canadian Sports pottery was made in Bo'ness and shipped to Canada somewhere between 1867 and 1897.

By far the most important collection made of this series is that belonging to Mrs. Nettie Sharpe of St. Lambert, Quebec, who has a display cabinet containing over thirty pieces. The vast Charles P. de Volpi collection of Canadiana at St. Jerome, Quebec, contains all the scenes. As one can see, most articles commonly used at that time were produced in this series. The flower design on the border has until recently defied identification. A botanist, however, came up with the right answer. Naturally the artist considered the snowdrop as being appropriate.

Most of the transfer drawings, and certainly the most pleasing ones, are reproduced in a dull grey on a light cream pottery background. However, some of the items are crudely overdrawn with bright gold, blue and red colours. Unfortunately through loss by breakage and fire there are probably only a few hundred of these pieces left in Canada. Certainly this is one of the most important

tenu comme le fabricant possible. Une des petites marques, qui ne se révèlent malheureusement pas sur la photo, fut copiée et envoyée à George Young qui l'identifia comme la marque de fabrique de John Marshall & Co., potiers à Bo'ness en Écosse entre 1854 et 1899. Le site de cet atelier a depuis été rasé et il n'y a aucun espoir de pouvoir y faire encore des découvertes. En fait, peu de pièces de cette poterie de Bo'ness semblent encore en circulation en Écosse. Il en ressortirait donc que la majeure partie de la fabrication était destinée à l'exportation. On pourrait même avancer une époque plus précise de fabrication de la série des Sports canadiens et affirmer qu'elle sortit des ateliers de Bo'ness et fut expédiée au Canada entre 1867 et 1897.

La collection la plus impressionnante de cette faïence est certainement celle de Mme Nettie Sharpe de St. Lambert dans le Québec, dont la vitrine renferme quelque trente pièces. Par ailleurs l'énorme collection de Canadiana de Charles P. de Volpi à Saint-Jérôme au Québec comprend au moins un exemplaire de chaque scène. Comme on peut le voir, ces scènes étaient représentées sur la plupart des articles de faïence en usage à cette époque. La bordure à fleurs a, pendant fort longtemps, défié toute tentative d'identification et ce n'est que très récemment qu'un botaniste nous a fourni la clef du mystère. Il est évident, que dans les circonstances, l'artiste estimait que le perce-neige était de rigueur!

La plupart de ces dessins de décalcomanies, et certes les plus attrayants, sont reproduits en une grisaille morne sur un fond pâle de faïence crème. Dans certains cas, les dessins sont durement contournés de traits violents or, bleu ou rouge. Il est regrettable qu'au Canada la casse, le feu et l'usure n'aient laissé qu'une centaine de ces pièces à la postérité, car il ne fait aucun doute qu'il s'agit bien là des articles les plus importants et les

66   Large serving platter (de Volpi Collection)
*Containing five of the set of eleven poses.*

66   Grand plat (Collection de Volpi)
*Représentant cinq poses d'un jeu de onze.*

111

67   One small and two medium-sized plates. (Sharpe Collection)

67   Une petite assiette et deux autres de format moyen (Collection Sharpe)

68   Two plates, cup and saucer (Sharpe Collection)

68   Deux assiettes et tasse avec soucoupe (Collection Sharpe)

and most intriguing items of Canadiana. While not made in Canada, it was specifically produced for the Canadian market.

For the information of the collector, there are twelve scenes in the Canadian Sports series. These are seen in the illustrations as follows: 1. The posing girl snowshoveler (66). 2. Kneeling lacrosse players, the starting position (66). 3. The perpendicular woman tobogganer (65 and 66). 4. The fancy skaters quartette (66). 5. Mother and child sleigh-riding with dog (66). 6. Two running lacrosse players (67). 7. The moustached snowshoer (64). 8. Man lacing woman's snowshoes (70). 9. Woman skating (68). 10. Snowshoers caught in barbed-wire fence (68). 11. Boy tobogganing (68). 12. Girl with goose and holly (71).

plus curieux de Canadiana, fabriqués exclusivement à l'intention du marché canadien, même si l'origine s'en trouve outre-mer.

A titre documentaire, il convient de signaler au collectionneur qu'il existe douze scènes différentes dans la série des Sports canadiens. Ils apparaissent dans les illustrations dans l'ordre suivant: 1. Balayeuse de neige au repos (66). 2. Joueurs de crosse agenouillés, en position de départ (66). 3. Femme debout sur une luge (65 et 66). 4. Quatuor fantaisiste de patineurs (66). 5. Mère et enfant en traîneau avec un chien (66). 6. Deux joueurs de crosse en pleine course (67). 7. Marcheur moustachu sur raquettes (64). 8. Homme laçant les raquettes de sa compagne (70). 9. Patineuse (68). 10. Marcheurs à raquettes pris dans du fil de fer barbelé (68). 11. Garçon en luge (68). 12. Gardeuse d'oie avec houx (71).

69 Buffet exhibiting Canadian Sports items (Sharpe Collection)

*This is the largest known collection of Canadian Sports items. Note the variation in colours and the various tableware pieces.*

69 Vaisselier sur lequel sont exposés des articles à motif Sports canadiens (Collection Sharpe)

*C'est la collection d'articles Sports canadiens la plus importante que l'on connaisse. Remarquez les variantes dans les tons et les diverses pièces de vaisselle.*

70 Man lacing woman's snowshoes.
Plate (Sharpe Collection)

70 Homme laçant les raquettes de sa compagne.
Assiette (Collection Sharpe)

71 Girl with goose and holly
Small plate (Sharpe Collection)

*This is the rarest of the Canadian Sports Scenes.*

71 Gardeuse d'oie avec houx.
Petite assiette (Collection Sharpe)

*C'est la pièce la plus rare parmi les faïences à scène des Sports canadiens.*

72 Maker's mark: John Marshall & Co. of Bo'ness, Scotland.

72 Marque de fabrique de John Marshall & Co. de Bo'ness en Écosse.

115

PART V
# NOTES ON CERTAIN CANADIAN CERAMICS

Vᵉ PARTIE
# REMARQUES SUR CERTAINES CÉRAMIQUES CANADIENNES

# PRICE LIST

## ROBERT HERON, FIFE POTTERY.

### MARCH, 1855.

|  | Inches | Cream Colour s. d. | Blue Edged & Sponged s. d. | Willow s. d. | Printed s. d. | Flowing Colors s. d. |
|---|---|---|---|---|---|---|
| Plates | 10 | 1 3 | 1 6 | 2 0 | 2 0 | 3 0 |
| Do. | 8 | 1 0 | 1 3 | 1 6 | 1 6 | 2 6 |
| Do. | 7 | 0 10 | 1 0 | 1 3 | 1 3 | 2 0 |
| Do. | 6 | 0 8 | 0 10 | 1 0 | 1 0 | 1 6 |
| Do. | 5 | 0 6 | 0 8 | 0 10 | 0 10 | 1 3 |
| Do. | 4 | 0 5 | 0 7 | 0 8 | 0 8 | 1 1 |
| Do. | 3 | 0 4 | 0 5 | 0 6 | 0 6 | 1 0 |
| Fancy Muffins same as Printed. | | | | | | |
| Flat Dishes, | 8 | 1 6 | 1 9 | 2 3 | | |
| Do. | 9 | 1 9 | 2 0 | 2 6 | 3 6 | 4 6 |
| Do. | 10 | 2 0 | 2 6 | 3 0 | 4 6 | 5 6 |
| Do. | 11 | 2 6 | 3 0 | 4 0 | 6 0 | 7 6 |
| Do. | 12 | 3 0 | 4 0 | 4 6 | 8 0 | 10 0 |
| Do. | 14 | 4 6 | 5 6 | 6 6 | 10 0 | 14 0 |
| Do. | 16 | 7 0 | 8 0 | 10 0 | 15 0 | 20 0 |
| Do. | 18 | 10 6 | 14 0 | 18 0 | 24 0 | 30 0 |
| Do. | 20 | | | 28 0 | 42 0 | 50 0 |
| Fish Drainers same price as Dishes they fit. | | | | | | |
| Gravy Dishes, | 16 | 1 9 | 2 0 | 2 6 | 3 0 | 3 6 |
| Do. | 18 | 2 3 | 2 6 | 3 0 | 3 6 | 4 6 |
| Oval Bakers, | 5 | 1 0 | 1 3 | 1 6 | | |
| Do. | 6 | 1 3 | 1 6 | 2 0 | | |
| Do. | 7 | 1 6 | 1 9 | 2 3 | | |
| Do. | 8 | 1 9 | 2 0 | 2 9 | | |
| Do. | 9 | 2 3 | 2 6 | 3 3 | | |
| Do. | 10 | 2 9 | 3 0 | 4 0 | 6 9 | 9 0 |
| Do. | 11 | 3 6 | 4 0 | 5 0 | | |
| Do. | 12 | 4 6 | 5 0 | 6 0 | 9 0 | 12 0 |
| Do. | 13 | 5 6 | 6 6 | 9 0 | | |
| Do. | 14 | 7 0 | 8 6 | 12 0 | | |
| Cane Bakers same price as Blue Edged. | | | | | | |
| Nappies, | 5 | 0 10 | 1 0 | 1 3 | 1 3 | 1 6 |
| Do. | 6 | 1 0 | 1 3 | 1 6 | 1 6 | 1 9 |
| Do. | 7 | 1 3 | 1 6 | 2 0 | 2 0 | 2 6 |
| Do. | 8 | 1 6 | 2 0 | 2 6 | 2 6 | 3 0 |
| Larger sizes same price as Bakers. | | | | | | |

|  | Inches | Cream Colour s. d. | Blue Edged & Sponged s. d. | Willow s. d. | Printed s. d. | Flowing Colors s. d. |
|---|---|---|---|---|---|---|
| Soup Tureens, | 8 | | 1 9 | | | |
| Do. do. | 9 | 1 6 | 1 9 | 2 0 | | |
| Do. do. | 10 | 1 9 | 2 0 | 2 6 | 3 9 | 4 9 |
| Do. do. | 11 | 2 3 | 2 6 | 3 0 | 4 9 | 6 0 |
| Do. Stands, | 10 | | | | 1 0 | 1 3 |
| Do. do. | 11 | | | | 1 3 | 1 6 |
| Do. Ladles, | | 0 6 | 0 8 | 0 9 | 0 10 | 1 0 |
| Sauce Tureens, | | 0 6 | 0 7 | 0 9 | 1 0 | 1 4 |
| Do. Ladles, | | 0 2 | 0 2½ | 0 3 | 0 3½ | 0 4½ |
| Do. Stands, | | 0 1 | 0 1½ | 0 2 | 0 2½ | 0 3½ |
| Do. Tureens, complete, | | 0 9 | 0 11 | 1 2 | 1 6 | 2 0 |
| Do. Boats, large, | | 0 2½ | 0 3 | 0 3½ | 0 5 | 0 6 |
| Do. do. small, | | 0 2 | 0 2½ | 0 3 | | |
| Do. do. Stands, | | 0 1½ | 0 2 | 0 2½ | 0 3 | 0 3½ |
| Pickles, | | 0 1½ | 0 2 | 0 2½ | 0 3 | 0 4 |
| Cover Dishes, | 6 | | | 6 0 | | |
| Do. do. | 7 | | | 7 6 | | |
| Do. do. | 8 | 6 6 | 7 6 | 9 0 | 12 0 | 15 0 |
| Do. do. | 9 | 7 6 | 8 6 | 10 6 | 15 0 | 18 0 |
| Do. do. | 10 | 9 0 | 10 0 | 12 0 | 18 0 | 24 0 |
| Do. do. | 11 | 10 0 | 12 0 | 15 0 | | |
| Root Dishes, | 11 | | | | 5 0 | 6 0 |
| Salad Bowls, | | | | | 1 6 | 2 3 |
| Cheese Stands, | | 1 6 | | | 2 0 | 2 6 |
| Do. Covers, | | 2 6 | | | 3 0 | 3 6 |
| Mustards, | 24 | 2 9 | 3 6 | 4 6 | 4 6 | 6 0 |
| Peppers, | 12 | 2 0 | 2 3 | 2 9 | 2 9 | 3 3 |
| Salts, | 36 | 2 3 | 2 9 | 4 0 | 4 0 | 5 0 |
| Egg Cups, | 12 | 0 10 | 1 0 | 1 3 | 1 3 | 1 6 |
| Egg Hoops, | 12 | 1 0 | 1 3 | 1 6 | 1 6 | 1 9 |

|  | Cream Colour s. d. | Sponged s. d. | Painted s. d. | Printed s. d. | Flowing Colors s. d. |
|---|---|---|---|---|---|
| Bowls, | 2 6 | 2 9 | 3 3 | 5 0 | 6 0 |
| Do. Pudding, | 3 0 | | | | |
| Do. Sprouted, | 3 6 | | | | |
| Do. Cullender, | 3 6 | | | | |
| Do. covered & handld. | 6 0 | 6 6 | 8 0 | 11 0 | 14 0 |
| Stands for do. | | | | 14 0 | 15 0 |
| Mugs and Porringers, | | 2 9 | 3 3 | 5 0 | 6 0 |
| Triffle Cans, | | | | 2 9 | |
| Jugs, Common, | 3 0 | 3 6 | 4 0 | 5 0 | 6 0 |
| Do. Pressed, | | | | 8 0 | 9 0 |
| Do. Embossed, drab, 10s | | | | | |
| Do. do. pearl white 9s | | | | | |
| Do. Turquoise, 14s | | | | | |
| Do. Covered, price&half | | | | | |
| Do. Toy embsd. 6/, 4/6, 3/ | | | | | |
| Plain Basins & Chas. 4 6 9s | 2 6 | 3 0 | 3 6 | 5 0 | |
| Do. do. do. 12s | 2 9 | 3 6 | 4 0 | 5 0 | |
| Do. Ewers, 4 6 9s | 3 0 | 3 6 | 4 0 | 5 6 | |
| Do. do. 12s | 3 6 | 4 0 | 4 6 | 6 0 | |
| Pressed Basins & Chas. 6s | | | | 7 0 | 8 6 |
| Do. Ewers, 6s | | | | 7 0 | 8 6 |
| Do. Basins & Chams. 9s | | | | 7 9 | 9 0 |
| Do. Ewers, 9s | | | | 7 9 | 9 0 |
| Soaps and Trays, | 0 7 | | | 0 10½ | 1 0 |
| Round Soaps, | 0 4 | 0 5 | | 0 6 | |
| Sponge Trays, | | | | 1 6 | 1 9 |
| Spitoons, | | | | 1 3 | 1 6 |
| Foot Pails, 16 in. | 5 0 | | | 8 6 | 10 0 |
| Do. do. 18 in. | 6 6 | | | 10 6 | 12 6 |
| Supply Jugs, for 16 in. | 3 0 | | | 4 6 | 5 6 |
| Do. do. 18 in. | 4 0 | | | 6 0 | 7 6 |
| Bed Pans, 1s 9d and 2s. | | | | | |
| Sick Cups, | 0 5 | | | 0 8 | |
| Nursing Bottles, | 0 5 | | | 0 8 | |
| Carpet Balls, 3s ⅌ Set. | | | | | |
| Jelly Cans, | 1 10 | | | | |

|  | Cream Colour s. d. | Sponged s. d. | Painted s. d. | Printed s. d. | Flowing Colors s. d. |
|---|---|---|---|---|---|
| Hd. Evening Teas, plain, | | 2 0 | 2 2 | 2 6 | 3 0 |
| Do. do. French, | | | | 2 9 | 3 3 |
| Do. do. Greek, | | | | 3 0 | 3 6 |
| Do. Breakfast do., | | 3 6 | | 5 0 | 6 0 |
| Unhandled do. | | 1 6 | 1 8 | | |
| Creams, plain, | | | | 6 0 | 7 6 |
| Do. pressed, | | | | 9 0 | 10 6 |
| Bread Plates, | | | | 4 0 | 5 0 |
| Toy Teas, unhandled, | | 1 0 | 1 2 | | |
| Do. handled, | | | 1 6 | 2 0 | |
| Do. Teapots, | | | 0 4½ | 0 5½ | |
| Do. Sugar Boxes, | | | 0 3½ | 0 4½ | |
| Do. Creams, | | | 0 1½ | 0 1½ | |
| Do. Slop Bowls, | | | 0 1 | 0 1 | |
| Do. Bread Plates, ⅌ pair | | | 0 2 | 0 3½ | |
| Do. Tea Set, complete, | | | 1 6 | 2 0 | |
| Covered Sugars, | | 6 0 | | | |
| Butter Tubs, | | 6 0 | | | |
| Punch Bowls, | | | | 8 0 | |
| Urinals, each, | 0 10 | | | | |

| Stoolpans | 5 | 6 | 7 | 8 | 9 | 10 | 11 | 12 |
|---|---|---|---|---|---|---|---|---|
|  | 4 | 5 | 6 | 7 | 8 | 10 | 1s | 1s 3d. |

| K Pans | 5 | 6 | 7 | 8 | 9 | 10 | 11 | 12 | 13 | 14 |
|---|---|---|---|---|---|---|---|---|---|---|
|  | 4 | 5 | 6 | 7 | 8 | 10 | 1s | 1s 3d | 1s 6d | 2s 3 |

| C. C. Plunge Basins | 15 | 16 | 17 inch. |
|---|---|---|---|
|  | 1s 3d | 2s | 3s |

| Milk Pans | 12 | 14 | 16 inch. |
|---|---|---|---|
|  | 8 | 1s | 1s 6d. |

Straw and Cord to be charged at the following rates, and no allowance made for it even if returned—

| 10 | 12 | 14 | 16 | 18 | Bar Crate. |
|---|---|---|---|---|---|
| 1s 6d | 2s | 2s | 2s 6d | 2s 6d Nett. | |

**TERMS.**

15 ⅌ Cent for Cash settlement.
12½ do „ Bill do.

# Robert Heron's Fife Pottery

A researcher in this field is always hoping for the day when he can find an illustrated catalogue describing the items produced by a pottery. Unfortunately no catalogue of this sort has been discovered in Scotland. However, Mr. George A. Young, Superintendent of City Museums, Edinburgh, obtained a price list of Robert Heron's Fife pottery, dated March 1855. This is reproduced in photograph 73.

This single sheet gives the items produced, the size of most of the products, an indication of the decoration, and the prices at which they were sold. In 1855 the exports of pottery to Canada were just assuming an important place for these Scottish potteries, and many of these items were for the Canadian trade; but most of the early exports, unfortunately, do not have maker's marks. At the bottom in the left-hand section of the list is shown the types of bowls,

73 ROBERT HERON, FIFE POTTERY — PRICE LIST.

which undoubtedly include those now called Portneuf. Those in the "Cream Colour" category were undecorated and were thus the cheapest, and represented the major production of these potteries. The indication "C.C." is often used for this plain ware. The second item, "Sponged", would cover the more important Portneuf items, as described in the chapter on these bowls. The other three headings, "Painted", "Printed", "Flowing Colors", describe the other methods used in decorating. "Flowing Colors" covers the category which is often called "Gaudy" by the collectors in this country. "Painted" referred in the main to lines placed on the pottery, whereas "Flowing Colors" indicated larger surfaces, often hand-decorated with designs such as flowers. The payment terms are shown on the bottom right-hand corner of the list. It is noted that 15 percent was given for cash settlement, not an unreasonable term for trade in those days.

The Fife or Gallatown Pottery was originally established in 1817 in Sinclairtown not far from Methven's Kirkcaldy Pottery. Some time about the middle of the nineteenth century, Robert Heron took over the pottery and production continued from about 1850 to 1929. Items are sometimes found in this country bearing the Heron mark as illustrated on page 322 of Godden's *Encyclopedia*.

de la liste on remarquera les types de bols, parmi lesquels devaient probablement compter ceux que nous appelons maintenant Portneuf. Les faïences dans la catégorie "Couleur Crème" n'étaient pas décorées, elles coûtaient donc moins cher et représentaient la majeure partie de la production de ces poteries. L'indication "C. C." était souvent employée pour désigner cette vaisselle très ordinaire. Le deuxième article "à l'éponge" fait certainement partie des plus importants des "Portneuf" décrits dans le chapitre sur les bols. Les autres catégories de modèles sont décrits comme les "Peints", "Imprimés", "Epanchement de couleurs". Ce dernier reçoit souvent le surnom de "Criard" par les collectionneurs de chez nous. Les "peints" sont les faïences dont les traits principaux sont des filets tandis que les "épanchements de couleurs" indiquent une décoration à la main, de fleurs par exemple, couvrant de grandes surfaces. Les conditions et termes de paiement sont mentionnés dans le coin inférieur droit. On remarquera qu'un escompte de 15% était accordé sur tout paiement au comptant, ce qui, à l'époque, constituait une remise très raisonnable!

Les poteries Fife ou Gallatown furent établies en 1817 à Sinclairtown, dans les environs des ateliers Methven à Kirkcaldy. Vers le milieu du XIXe siècle, Robert Heron reprit la poterie qui resta active de 1850 environ jusqu'en 1929. Nous trouvons encore au Canada certains articles portant la marque Heron, reproduite en page 322 de *Encyclopedia* de Godden.

# Spatter Ware

# Vaisselle mouchetée

A type of pottery decoration closely associated with Portneuf, called "spatter ware", has excited the curiosity of collectors particularly in the United States. It was originally thought that this ware was produced in Pennsylvania but it has been proved that most of it came from Great Britain, particularly Staffordshire, though some was manufactured on the Continent. Typical Portneuf and spatter ware decorations are applied by colours sponged on the earthenware object before it is glazed. The root of the sponge is cut in the form required and this is the normal way crude decorations were applied to the Portneuf bowls. However, very little spatter ware was produced in Scotland. In the main the exports of spatter ware to the United States were from the Staffordshire potteries. Here the sponge was dipped in different colours and applied over the article. Typical colors used were blue, green, red

Une décoration de faïence appelée "vaisselle mouchetée", très proche du Portneuf, a éveillé la curiosité de bien des collectionneurs, surtout aux États-Unis. Elle fut tout d'abord attribuée à des potiers de Pennsylvanie. Par la suite son origine britannique fut cependant prouvée, plus particulièrement du Staffordshire, bien que quelques pièces proviennent des poteries d'autres pays d'Europe. Les décorations typiquement Portneuf et mouchetées sont produites par peinture à l'éponge sur la pièce de terre cuite, avant la glaçure. C'était le procédé normalement employé pour l'application des motifs grossiers dont sont décorés les bols Portneuf et il consistait simplement dans le découpage du tracé du dessin dans le coeur d'une éponge. Cependant très peu de motifs mouchetés sortaient des ateliers écossais et la plupart des faïences importées par le marché américain provenaient de poteries du Staffordshire. La méthode de coloration consistait à plonger l'éponge dans différentes couleurs appliquées successivement sur l'article à décorer. Les teintes les plus courantes

74 Spatter Ware from the Willoughby Collection.

74 Vaisselle mouchetée appartenant à la collection Willoughby.

and purple. The Staffordshire potteries at first used the sponge to create a spatter in open spaces not already covered by an applied design. The typical motifs used were birds, flowers, castles and schoolhouses. Later, to speed production, over-all spatter ware masses were applied by sponges to large portions of the articles to be decorated. Many people consider this second category to be the more interesting of the two types. Photograph 74 shows two typical spatter ware objects from the Willoughby collection.

Various articles have been written on this subject. The most recent, "Stick-Spatter Ware" by Earl F. Robacker, appeared in the February 1971 issue of the New York magazine, *Antiques*. Mr. Robacker uses the phrase stick-spatter to describe the way in which the sponge was mounted on a stick or handle before decoration. We know, however, that in Scotland the sponge motifs were often applied by hand without the use of a stick.

étaient le bleu, vert, rouge et violet. A l'origine les potiers du Staffordshire remplissaient de mouchetages les espaces non occupés par un motif appliqué précédemment et qui variait en général entre des oiseaux, des fleurs, des châteaux et des écoles. Par la suite, afin d'activer le rendement, on supprima le motif médaillon et de larges surfaces de la vaisselle furent décorées de mouchetages. Bien des spécialistes considèrent d'ailleurs cette dernière catégorie comme de loin la plus intéressante des deux. La photo 74 montre deux pièces typiques de vaisselle mouchetée qui proviennent de la collection Willoughby.

Ces faïences ont déjà fait couler beaucoup d'encre. L'article le plus récent sur le sujet, parut en février 1971, dans la revue de New-York *Antiques* sous le titre de "Stick-Spatter Ware". Son auteur Earl F. Robacker emploie l'expression "Stick-Spatter" pour décrire la façon dont on monte l'éponge sur un manche avant de commencer l'opération. Néanmoins, il est reconnu que les éponges à peindre les motifs étaient employées à pleine main par les Ecossais, sans être montées sur une poignée.

# The State of the Canadian Pottery Industry in 1881

# Le sort de l'industrie canadienne de la poterie en 1881

It is often of value to look at a situation from another point of view. Thus I felt a note should be included in this book to cover the position of the native Canadian potteries at the time when ceramic exports from Scotland and England were moving into this country. The Canadian pottery trade in 1881 is interestingly described in the book *Sketches of the Late Depression* by William Wickliffe Johnson, published in Montreal in 1882. The following quotations are taken from pages 176 to 178 of this report.

> The current of trade in many lines of goods, has been diverted into altogether different channels from those in which it used formerly to flow, and the location of the source of supply has altered. A very considerable number of leading articles which help materially to form the make up of this trade, and which have hitherto been imported from Great Britain, Germany and the United States, are now

Il est souvent utile d'analyser une situation par l'autre bout de la lorgnette. Et je crois qu'une mention spéciale devrait être faite quant au sort des potiers canadiens au moment où les exportations d'Écosse et d'Angleterre battaient leur plein. Cette industrie canadienne de la poterie en 1881 fait l'objet de la très intéressante analyse de William Wickliffe Johnson dans son livre *Sketches of the Late Depression* publié à Montréal en 1882, relatant des faits marquants de la crise. Les citations qui suivent ont d'ailleurs été puisées dans les pages 176 à 178 de ce rapport.

> Le cours des échanges commerciaux a, dans de nombreux domaines, suivi des voies fort différentes de celles que l'on avait l'habitude de connaître et les sources d'approvisionnement ont changé d'origine de fabrication. Un nombre considérable d'articles primordiaux qui constituaient la base matérielle d'une industrie alimentée jusqu'à présent par des importations de Grande-Bretagne, d'Allemagne

largely made within our own borders, and under the existing tariff, the prospects are that the proportion of goods of this class, made in Canada, will be increased. The cheaper grades of crockery, such as Rockingham, Cane, "C.C.", and white granite wares, which were formerly imported altogether from Great Britain, are now largely made in St. Johns, Quebec and Montreal. There is at the present date (1881) six potteries engaged in the manufacture of these goods, which find a ready market.... The Canadian made goods, as a rule, seem to give fair satisfaction as to quality, there are, of course, some exceptions, but it is hardly to be expected that infant industries, comparatively speaking, such as our potteries are, can jump at once to perfection....

The import duty upon crockery generally, is thirty per cent, and at the prices which have been ruling, it has not been possible to import similar goods to what are made here, and sell them at a remunerative profit, even though they may be of somewhat better quality.... All the finer qualities of crockery and glassware are still imported, principally from Europe, as also are all china goods, none of the latter ware being made in Canada, though something is done in the way of decorating plain china in Montreal and Toronto....

It may be interesting to briefly notice a few particulars concerning the first inception of our pottery interest as well as its later growth. The St. Johns Stone Chinaware Company was the first concern organized to enter upon the manufacture of crockery in Canada. It was started in 1873, with a capital of $50,000 which was

et des États-Unis, sont maintenant fabriqués dans les ateliers de notre pays. Avec l'application des tarifs douaniers existants, on peut s'attendre à ce que la proportion des articles fabriqués au Canada, dans cette catégorie de marchandise, augmente considérablement. La vaisselle de cuisine telle que les faïences bon marché Rockingham, Cane, "C. C." et les céramiques blanches, qui, dans le temps, venait entièrement de Grande-Bretagne, est maintenant produite, en majeure partie, à Saint-Jean et à Montréal, dans le Québec. Pour le moment (1881) six poteries se consacrent à la fabrication de ce genre de vaisselle, pour laquelle un marché existe ... En principe la qualité des produits fabriqués par les ateliers canadiens semble donner satisfaction. Il y a évidemment quelques exceptions, mais il est difficile, d'emblée, d'espérer la perfection d'une industrie encore aussi jeune que celle de nos poteries.

Les droits de douane sur la vaisselle s'élèvent, en général, à trente pour cent et, à ce tarif, il devient impossible pour les importateurs de servir le marché en faïences similaires à ce qui se fait sur place, à des prix concurrentiels, tout en réalisant des profits, même si, à l'usage, ces faïences importées s'avèrent un peu meilleures. Il n'en est pas de même pour les fines faïences et porcelaines qui, comme le verre, continuent à nous venir de l'étranger, plus particulièrement d'Europe, puisque le Canada n'en assure pas la fabrication, bien que Montréal et Toronto possèdent quelques artisans dans la décoration des céramiques.

Notons en passant quelques faits soulignant l'intérêt croissant pour nos poteries et leur développement futur. Les faïenceries St. Johns Stone Chinaware Company furent les premières à organiser une production intense de vaisselle canadienne. Cette firme fut établie en 1873,

subsequently increased to $100,000. Owing, no doubt, to a want of knowledge of the detail of the business, and also to expensive management, the Company did not prove a success, and in 1877, it passed into private hands, since which time the business has been prosecuted with vigour and more satisfactory results. The only white granite, or stone chinaware, made in Canada is turned out at this pottery, as also are large quantities of cheaper goods.

The history of Canada's most important pottery, referred to above, the St. Johns Stone Chinaware Company, is set out in some detail in Chapters XXII and XXIII of Elizabeth Collard's book *Nineteenth-Century Pottery and Porcelain in Canada*. This company, which was promoted by the famous potter George Whitfield Farrar, was founded in 1873 and lasted until the end of the nineteenth century. During this period the St. Johns Pottery was the only one making white tableware in Canada, and indeed there was no company supplying this part of the trade until well into the twentieth century.

The St. Johns Company supplied tableware needs of many homes and hotels in Canada during the last quarter of the nineteenth century and even now items bearing the trade mark of this company are to be found. Particular attention should be given to the St. Johns soft-blue tableware with raised decoration of white flowers on a stem. This is perhaps the finest tableware which has been produced in Canada. It is greatly valued by collectors. Mrs. Richard Costello and the Sigmund Samuel Gallery of the Royal Ontario Museum both possess fine examples of this ware.

avec un capital de $50,000, avoirs qui furent ensuite augmentés à $100,000. Inexpérimentée dans ce genre de marché, avec une gestion fort onéreuse, la compagnie n'enregistra aucune prospérité et, en 1877, elle fut reprise par des particuliers. Elle a, depuis, été gérée de main de maître et défend maintenant une participation fort satisfaisante sur le marché. La seule fabrication de grès cérame au Canada est produite par cette poterie qui manufacture en outre de grandes quantités de faïence de moindre qualité.

L'histoire de cette poterie St. Johns Stone Chinaware Company, la plus importante au Canada, est reprise en détail par Elisabeth Collard, qui y consacre les chapitres XXII et XXIII de son livre *Nineteenth-Century Pottery and Porcelain in Canada*. Cette compagnie, lancée par le potier renommé George Whitfield Farra, fut créée en 1873 et resta en opération jusqu'à la fin du XIXe siècle. Pendant toute cette période, la faïencerie St. Johns fut la seule au Canada à fabriquer de la fine faïence de table et, ce ne fut que bien plus tard au cours du XXe siècle, qu'une autre poterie ouvrit ses portes au Canada.

Par conséquent, ce fut la faïencerie St. Johns qui fournit la majeure partie du marché canadien en vaisselle ménagère et hôtelière, pendant les vingt-cinq dernières années du XIXe siècle, et maintenant encore on peut trouver des articles portant la marque de cette compagnie. La vaisselle de table bleu ciel, décorée d'appliques protubérantes de fleurs blanches, soulevées sur leur tige, venant des poteries St. Johns, mérite d'être mentionnée avec une insistance particulière, comme étant probablement la vaisselle de table la plus raffinée qui ait été produite au Canada. Les collectionneurs y attachent d'ailleurs une grande valeur. Madame Richard Costello et la Galerie Sigmund Samuel du Musée Royal de l'Ontario en possèdent quelques très beaux exemplaires.

PART VI
# CONCLUSION

VIᵉ PARTIE
# CONCLUSION

It is not a coincidence that the potters of the old country used such motifs as the thistle, rose, maple leaf, beaver and fleur-de-lis on their pots and tableware exported to Canada. These were the symbols that united the producers and users of their products.

It is hoped that this volume will supply useful information and many illustrations of the ceramic items made for the Canadian market by the Scottish potters. Unfortunately little has been written on this subject since Fleming's book *Scottish Pottery*. However, it is hoped that when Mr. George A. Young of the City Museums, Edinburgh, publishes the results of his researches he will fill many of the gaps. Because of the growth of the cities little excavation can be carried out on the original sites.

Le fait que les fabricants européens aient employé des motifs comme le castor, le chardon, la rose, la feuille d'érable et la fleur de lis pour la décoration des faïences et céramiques destinées au Canada, n'est pas un effet du hasard. Ces motifs représentaient des symboles qui liaient fabricants et usagers.

Cet ouvrage a été écrit dans l'espoir que, par la matière et les illustrations qu'il contient, il contribuera à faire la lumière sur les articles de céramiques, fabriqués par les potiers écossais à l'intention du marché canadien. Depuis le livre *Scottish Pottery* de Fleming, trop peu a été écrit à ce sujet. Nous plaçons cependant de gros espoirs dans les notes glanées au cours de recherches patientes par M. George A. Young, des Musées de la ville d'Édimbourg, qui, une fois publiées, ne manqueront pas de combler de nombreuses lacunes. Les développements de centres urbains, laissent malheureusement peu de chances pour effectuer des fouilles sur l'emplacement des anciennes poteries.

In England many books have been produced by noted authors on the history and production of the great potteries there. However, this information covers in the main fine porcelain as contrasted to the large volume of exports of coarser pottery which was sent from Europe in the early days. Mrs. Elizabeth Collard's *Nineteenth-Century Pottery and Porcelain in Canada* gives a historical background of the trade in pottery and porcelain between Great Britain and Canada. But an interesting picture book should some time be compiled showing a full range of pottery products, particularly tableware, shipped from England to this country.

I regret that there was not enough space in this volume to include a complete review of the historical views which were used on tableware exported, mainly from England, during the period from about 1850 to 1920. One section is completely covered in Part II, The Thomas Quebec Views. However, there are literally hundreds of examples of views of historical points of interest—forts, towns and villages—throughout the St. Lawrence and Great Lakes area. Perhaps the most frequently used are of Montmorency and Niagara Falls. Mr. C. de Volpi has an important collection of this type of china. Someone should undertake to cover this subject and illustrate all the items and views available in public and private collections not only in

L'Angleterre a fourni de nombreux volumes, écrits par des auteurs en renom, traitant de l'histoire et de la production des poteries importantes dans ce pays. Il faut cependant déplorer que les informations qu'ils auraient pu nous fournir, traitent surtout du contraste présenté par la production des fines porcelaines par comparaison aux grandes quantités de faïences plus grossières exportées à une époque plus reculée. Le livre de Mme Elisabeth Collard, sous le titre de *Nineteenth-Century Pottery and Porcelain in Canada*, éclaire quelque peu les antécédents historiques des échanges commerciaux, en faïences et porcelaines, entre la Grande-Bretagne et le Canada. Il manque cependant un volume bien documenté et largement illustré qui pourrait reprendre toute la gamme des céramiques, surtout la vaisselle, qui fut exportée d'Angleterre dans notre pays.

Je regrette que la place m'ait manqué dans ce livre pour étudier encore, à fond, l'origine des scènes historiques qui furent reproduites sur de la vaisselle, le plus souvent en provenance d'Angleterre, exportée dans notre pays entre 1850 et 1920. Un très minime segment seulement a pu en être approfondi dans la IIe partie de l'ouvrage, consacrée aux Paysages du Québec de Thomas, alors qu'il existe des centaines d'autres exemplaires de scènes d'intérêt historique: prises de forts, villes et villages tout le long du Saint-Laurent et des régions des Grands Lacs. Les scènes les plus fréquentes sont sans doute les Chutes de Montmorency et celles du Niagara. M. C. de Volpi possède d'ailleurs un assortiment assez important de ce genre de vaisselle. Il devrait se trouver quelqu'un pour faire une étude très fouillée et approfondie de ce sujet accompagnée d'illustrations de toutes les pièces et gravures qui se trouvent, soit dans les collections privées soit dans des musées, non seulement au Canada mais aussi aux États-Unis. Ce serait une contribution excessivement importante

Canada but also in the United States. This would make an attractive and important addition to the information available in this field.

Mrs. Collard also covers in some detail the information known to date about the Canadian potteries. But a great deal more needs to be done, particularly in the excavation of the available sites of the old potteries, especially in the Province of Quebec. A good start, particularly in Ontario, has been made by Gerald Stevens and Donald Webster of the Royal Ontario Museum, who have excavated several sites and have produced important monographs. Unfortunately, with the possible exceptions of the Sigmund Samuel Gallery of the Royal Ontario and the Quebec City museums, there are few exhibits of either the coarser pottery or the fine porcelain which the public can see. Perhaps it is not too much to expect that sometime a museum, not only of imported pottery and porcelain but also of Canadian made pottery, could be established where such a collection could be on permanent display and available for inspection by tourists and specialists.

Unfortunately many of the valuable Quebec items have been bought and exported to the United States. This volume points out and illustrates the many important items which are still available in private collections. If a single important museum is established it is felt that many of the items in private hands will be donated.

Turning to the United States, we have a good example of how important such a

ajoutée aux renseignements disponibles dans ce domaine.

Mme Collard couvre néanmoins d'une façon assez détaillée, les renseignements auxquels nous avons accès sur les poteries canadiennes. Mais ce n'est qu'un balbutiement dans ce qui reste à faire, surtout en ce qui concerne les fouilles sur tous les sites d'anciennes poteries encore ouverts à notre curiosité, principalement dans la Province de Québec. Gerald Stevens et Donald Webster du Musée Royal de l'Ontario sont partis du bon pied avec leurs excavations faites sur plusieurs sites de l'Ontario, où ils ont pu mettre à jour d'importants monogrammes. Il est lamentable de devoir constater, qu'à l'exception de la galerie Sigmund Samuel au Royal Ontario et des musées de la ville de Québec, le public n'ait plus accès à des expositions de faïences grossières ou de fines porcelaines que le Canada a connues. Le temps viendra peut-être un jour où un musée sera fondé dans le but exclusif de présenter, en permanence, à la curiosité du public, des touristes et des amateurs, une collection de poteries de grès, terres cuites, faïences et porcelaines anciennes du Canada, non seulement celles acquises par importation, mais celles qui restent de fabrication canadienne.

Nous avons constaté avec grand regret que de nombreuses pièces québecoises, de grande valeur pour le patrimoine canadien, ont été achetées par des Américains et exportées aux États-Unis. Dans ce volume j'ai cherché à signaler quels articles très importants font partie de collections privées. Si un musée de quelque envergure était créé pour la sauvegarde des objets anciens du Canada, il ne fait aucun doute que denombreuses pièces, maintenant propriété de particuliers, seraient offertes en donation.

L'importance d'une collection de cette nature nous est révélée par nos voisins du sud

collection would be when we visit such places as the Bennington Museum in Vermont. Many pottery and porcelain items, particularly the historical views and spatter ware which were made for the United States market, are permanently displayed in museums and private collections in the United States. Some of these items found their way to Canada and these should also have a place of honour in a National Ceramic Museum.

lorsqu'on visite des musées du calibre de celui de Bennington au Vermont. Nombreuses sont les poteries, faïences et porcelaines, surtout les pièces à mouchetage et à scènes historiques, fabriquées exclusivement pour le marché américain, qui sont exposées en permanence dans les musées et collections privées aux États-Unis. Certaines de ces pièces ont été acheminées vers le Canada et il ne serait que juste qu'elles puissent aussi occuper une place d'honneur dans un musée national de la céramique.

# INDEX

Adam, James  61
Adam, Robert  61
Adam, William  58
*Anglo-American China*  5
*Antiques*  36, 123
Auld Heather Ware  62

Band painting  52, 54-55
Barrel, ceramic  xiii, 97, 101
Bell, W. and David, Pottery  17, 22, 24
Bennington Museum  132
Bloom, Mrs. L. S.  xiv
Bo'ness  110
Britannia Pottery  5, 12, 13ff, 17, 34, 77
Burger, M. R.  xiii

Canada Council  xviii
*Canadian Collector, The*  5
*Canadian Antiques Collector*  17, 22, 38
*Canadian Antique Dealers Directory, The*  xvii
*Canadian Illustrated News*  38, 40, 41
*Ceramic Art of Great Britain, The*  3
Charleston, R. J.  xvii
Civil War, American  14
Clement, Mrs. Agnes B.  xiii, 101
Cobourne, W. Newlands  17
Cochran, Alexander  13
Cochran, Robert  13
Cochran and Fleming  13, 14, 15
Cole, Mr. and Mrs. J. N.  xiv
Collard, Elizabeth  56, 126, 130
*Connoisseur, The*  xvi
Costello, Mrs. Richard R.  xiv, xv, 126
Coverdale, William H.  xiii, xiv, xvi
Culver, Mrs. Audrey  xiv
Culver, Mrs. F.  xiv

De Granville, Paul  xiii, 24
De Volpi, Charles P.  xiv, xv, 11, 34, 36, 110, 130
Dion Pottery  24

*Early Furniture of French Canada, The*  xv, 54
Eaton, Mr. and Mrs. J. W.  xvii
*Encyclopedia of British Pottery and Porcelain Marks*  xvi, 3, 58, 94, 109, 120

Farrar, George Whitfield  126
Fleming, J. Arnold  3, 13, 14, 15, 94, 107, 129
Fleming, Sir James  13, 14

Gale, Mrs. R. L.  xii
Gallatown  120
Gagné, Mrs. Hélène  xiii
Godden, Geoffrey A.  xvi, 3, 58, 94

Hermitage Club  xi
Heron, Robert, Pottery  119ff
Huntly House Museum  4, 58

Jewitt, Llewellyn  3
Johnson, William Wickliffe  124
Jumbo (derivation)  84
Jumbo (elephant)  81, 84
Jumbo bowl  xi, 81ff

King Bros.  24

Laidacker, Sam  5
Lambart, Miss Hyacinthe  xiii, 22
Le Baron, Miss Emily  xii
Lee, Miss Norma  xiii, 28
Lemieux, Jean Paul  xiii
Linktown  58, 61
Livernois & Bienvenue  22, 40, 41

Mak, Miss Katherine  xvii
Maker's marks, *see* Trade marks
Maple Leaf pattern  62, 74, 76
Marshall, John, & Co.  110
Mason Pottery  5
Mayer, J. S.  xiii, 103
Mayer, Joseph  109
McConnell, Mrs. W. G.  xiv
McCord Museum  36
McKinley Tariff Act  55
Merrilees, Andrew  41
Methven, David, Pottery  57ff, 76, 77
Methven "Imperial" mark  57
Miller, James  109
Mocha pattern  61
Montmorency Falls  36
Motifs used in bowls  78-80
Mountford, Arnold R.  xvi, 96
Mumbo Jumbo  84

National Museum  41
*Nineteenth-Century Pottery and Porcelain in Canada*  56, 126, 130

Oddy, R. O.  xvi
O'Hara, Mrs. R.  94, 96

Palardy, Jean  xv, 54
Peony pattern  62, 74, 76
Pike, Mrs. Viola  xvii
Portneuf (village)  51
Portneuf bowls, size of  77
Potteries, English  3-4
Potteries, Scottish  1ff, 55; list of  6

Raith Estate  61
Ramsey, L. G.  xvi
Robacker, Earl F.  123
Robertson, William  58
Robin bowl  xii
Rope border  76-77, 78, 96-97
Rosette pattern  57, 62, 64, 72, 76
Royal Ontario Museum  36, 126

St. Johns Stone Chinaware Co.  125, 126
St. Rollox  13, 34
*Scottish Pottery*  3, 4, 13, 94, 107, 129
Shackleton, Marge  xvii
Sharpe, Mrs. Nettie  xiv, 11, 110
Sinclairtown  120
*Sketches of the Late Depression*  124
Spatter ware  121ff
Sponge painting  52, 54
Sponge ware  52, 54, 56, 61
Staffordshire potteries  77
Stevens, Gerald  xvii, 5

Thomas, F. T.  15, 17ff
Thomas Quebec Views  5, 9ff, 15
Thompson, Austin S.  xvii, 11, 17, 38
Thomson Pottery  76, 77, 94ff, 103
Trade Mark Act  6, 16
Trade marks  6, 7, 34, 36, 55, 57, 58
Transfer printing  36-37

Verona pattern  61
Verreville Pottery  13, 14

Warren, Leighton  xvii
Willoughby, J.  xiv, xvi, 11
Willow pattern  61
Winnett, Mrs. A. R.  xiv, xvi

Young, Andrew  62
Young, Andrew Ramsay  61, 62
Young, George A.  xvi, 4, 58, 96, 109, 110, 119, 129
Young, William  62

# INDEX

Adam, James   61
Adam, Robert   61
Adam, William   58
*Anglo-American China*   5
*Antiques*   36, 123

Baril de céramique   xiii, 97, 101
Bell, W. et David, Potiers   17, 22, 24
Bennington, Musée   132
Bloom, Mme L. S.   xiv
Bo'ness   110
Bords torsadés   76-77, 78, 96-97
Britannia, Poterie   5, 12, 13ff, 17, 34, 77
Burger, M. R.   xiii

*Canadian Collector, The*   5
*Canadian Antiques Collector*   17, 22, 38
*Canadian Antique Dealers Directory, The*   xvii
*Canadian Illustrated News*   38, 40, 41
*Ceramic Art of Great Britain, The*   3
Charleston, R. J.   xvii
Clement, Mme Agnes B.   xiii, 101
Club Hermitage   xi
Cobourne, W. Newlands   17
Cochran, Alexander   13
Cochran, Robert   13
Cochran et Fleming   13, 14
Cole, M. et Mme J. N.   xiv
Collard, Elizabeth   56, 126, 130
*Connoisseur, The*   xvi
Conseil des Arts   xviii
Costello, Mme Richard R.   xiv, xv, 126
Coverdale, William H.   xiii, xiv, xvi
Culver, Mme Audrey   xiv
Culver, Mme F.   xiv

Décalcomanie   36-37
de Grandville, Paul   xiii, 24
de Volpi, Charles P.   xiv, xv, 11, 34, 36, 110, 130
Dion, Potier   24

*Early Furniture of French Canada, The*   xv, 54
Eaton, M. et Mme J. W.   xvii
*Encyclopedia of British Pottery and Porcelain Marks*   xvi, 3, 58, 94, 109, 120
Estampilles   6-7, 34, 36, 55, 57, 58

Farrar, George Whitfield   126
Fleming, J. Arnold   3, 13, 14, 15, 94, 107, 129
Fleming, Sir James   13, 14

Gagné, Mme Hélène   xiii
Gale, Mme R. L.   xii
Gallatown   120
Godden, Geoffrey A.   xvi, 3, 58, 94

Heron, Robert, Poterie   119ff
Huntly House, Musée   4, 58

Jewitt, Llewellyn   3
Johnson, William Wickliffe   124
Jumbo (origine)   84
Jumbo (éléphant)   81, 84
Jumbo, Bol   xi, 81ff

King Frères   24

Laidacker, Sam   5
Lambart, Mlle Hyacinthe   xiii, 22
Le Baron, Mlle Emily   xii
Lee, Mlle Norma   xiii, 28
Lemieux, Jean Paul   xiii
Linktown   58, 61
Livernois & Bienvenue   22, 40, 41
Loi sur les marques déposées   6, 16

Mak, Mlle Katherine   xvii
Marshall, John et Cie   110
Mason, Poterie   5
Mayer, J. S.   xiii, 103
Mayer, Joseph   109
McConnell, Mme W. G.   xiv
McCord, Musée   36
McKinley, Loi Tarifaire   55
Merrilees, Andrew   41
Methven, David, Poterie   57ff, 76, 77
Methven, Marque "Impérial"   57
Miller, James   109
Montmorency, Chutes   36
Motif Feuille d'Érable   62, 74, 76
Motif Mocha   61
Motif Pivoine   62, 74, 76
Motif Rosette   57, 62, 64, 72, 76
Motif Verona   61
Motifs employés sur les bols   78-80
Mountford, Arnold R.   xvi, 96
Mumbo Jumbo   84
Musée National   41
Musée Royal de l'Ontario   36, 126

*Nineteenth Century Pottery and Porcelain in Canada*   56, 126, 130

Oddy, R. O.   xvi
O'Hara, Mme R.   94, 96

Palardy, Jean   xv, 54
Peinture à l'éponge   52, 54, 56, 62
Peinture au filet   52, 54-55
Pike, Mme Viola   xvii
Portneuf (village)   51
Portneuf, dimension des bols   77
Poteries anglaises   3-4
Poteries écossaises   1ff, 55; liste 6

Raith, Domaine   61
Ramsey, L. G.   xvi
Robacker, Earl F.   123
Robertson, William   58
Rouge-gorge (bol)   xii

St. Johns Stone Chinaware Cie   125, 126
St. Rollox   13, 34
Sécession, Guerre de, États-Unis   14
*Scottish Pottery*   3, 4, 13, 94, 107, 129
Shackleton, Marge   xvii
Sharpe, Mme Nettie   xiv, 11, 110
Sinclairtown   120
*Sketches of the Late Depression*   124
Staffordshire, Poteries   77
Stevens, Gerald   xvii, 5

Thomas, F. T.   15, 17ff
Thomas, Paysages Québecois de   5, 9ff, 15
Thompson, Austin S.   xvii, 11, 17, 38
Thomson, Poterie   76, 77, 94ff, 103

Vaisselle "Auld Heather"   62
Vaisselle mouchetée   121ff
Verreville, Poterie de   13, 14

Warren, Leighton   xvii
Willoughby, J.   xiv, xvi, 11
Willow, motif   61
Winnett, Mme A. R.   xiv, xvi

Young, Andrew   62
Young, Andrew Ramsay   61, 62
Young, George A.   xvi, 4, 58, 96, 109, 110, 119, 129
Young, William   62

134

*Design/Création: John Zehethofer*
*Typesetting/Composition: Mono Lino Typesetting Company Limited*
*Typeface/Caractères: Palatino*
*Printing/Impression: McLaren Morris and Todd Limited*
*Paper/Papier: Abitibi 160M Avalon*
*Binding/Reliure: John Deyell Limited*